MAPLE LIBRARY
10190 Keele Street
Maple, Ontario, L6A 1G3
Tel (905)

APR 14 2003

VAUGHAN PUBLIC LIBRARIES

VAUGHAN PUBLIC LIBRARIES

3 3288 07531393 4

DATE DUE

D1532672

J
French
363.3
481
Wat

Watts, Claire.
Urgence,
secours et
sauvetage

# urgence, secours
# et sauvetage

Insigne du
Special Air
Service (SAS)

Hélicoptère
de secours

Masque à gaz militaire

Pompier américain

Ambulance hollandaise

Robot détecteur de mines

Canot
de sauvetage
gonflable
et rigide

Boussole

# urgence, secours et sauvetage

Insigne du
centre de tir
de la police
française

par

Claire Watts

Travailleurs
de l'équipe
de secours après
le tremblement
de terre de Kobe
au Japon

GALLIMARD

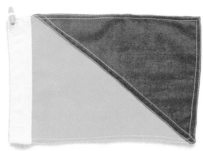

Signal maritime international
« Un homme à la mer »

Gilet de sauvetage

Bouteille à oxygène

Sauvetage
d'une personne
tombée à l'eau

Comité éditorial

Londres :
Gordon Knowles, directeur éditorial
Jayne Parsons, responsable éditoriale
et Julia Harris, responsable artistique

Paris :
Christine Baker, Maylis Leroy
et Eric Pierrat

Pour l'édition anglaise :
Edition : Amanda Rayner
et Monica Byles
Maquettiste : Ann Cannings
et Jane Tetzlaff
Fabrication : Kate Oliver
Iconographe : Mollie Gillard
PAO : Nomazwe Madonko

Edition française
traduite et adaptée
par Jean Esch
Edition : Barbara Kekus, Octavo, Paris VIe
Remerciements pour leurs conseils gracieux à :
la Brigade des Sapeurs-Pompiers de Paris,
la sécurité de Aéroports de Paris et le ministère de l'Intérieur.
Préparation : Claire Passignat
Correction : Isabelle Haffen, Lorène Bücher et Christine Bolton
Index : Isabelle Haffen
Montage PAO : Octavo, Paris VIe
Flashage : Arc-en-ciel - Paris XIIe
Maquette de couverture : Raymond Stoffel
Photogravure de couverture : Mirascan

ISBN 2-07-054454-0
La conception de cette collection est le fruit
d'une collaboration entre les Editions Gallimard
et Dorling Kindersley
© Dorling Kindersley Limited, Londres, 2001
© Editions Gallimard, Paris, 2001, pour l'édition française
Loi n° 49-956 du 16 juillet 1949
sur les publications destinées à la jeunesse
Dépôt légal : mai 2001
N° d'édition : 97275

Photogravure : Colourscan, Singapour
Imprimé en Chine par Toppan Printing Co., (Shenzen) Ltd

Corde de Nylon
de montagnards

Echelle en acier
inoxydable

Saint-bernard

Camion de pompiers français

# SOMMAIRE

Pompier en action

# LES PREMIERS SUR LES LIEUX

Un marin accroché à la coque de son bateau renversé, un enfant qui meurt de faim dans un pays frappé par la famine ou un blessé coincé dans les décombres d'un immeuble après un tremblement de terre courent tous un danger extrême. Leur seul espoir est d'être secourus à temps. Pour tout sauvetage, il faut d'abord que l'équipe d'intervention localise les personnes qui ont besoin d'aide, les secourt, puis les transporte à l'abri. Alors seulement, elle maîtrise la situation et le risque que d'autres vies soient menacées est écarté.

### LES SECOURISTES
Les interventions médicales de base – faire un pansement, aider une personne à respirer –, s'appellent les premiers soins. Lors de grandes manifestations, des secouristes volontaires, comme ceux de la Croix-Rouge ou les ambulanciers Saint-Jean de Malte, sont présents pour venir en aide aux personnes en difficulté.

Bateau de sauvetage tout temps

### PRÊTS À INTERVENIR OÙ IL LE FAUT, QUAND IL LE FAUT
Pour de nombreux bénévoles, le secourisme ne représente qu'une partie de leur vie. Ils exercent généralement un métier, mais ils sont disponibles pour intervenir dès qu'il le faut. Appelés en urgence, ils quittent leur travail et rejoignent précipitamment leur équipe, pour effectuer des recherches en mer, sauver des blessés, partir à l'étranger sur les lieux d'une catastrophe.

*Gyrophare*

Voiture de pompiers d'aéroport

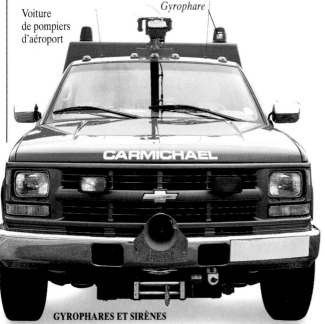

### LES ACCIDENTS DE LA ROUTE
L'ambulance fonce sur le lieu de l'accident et l'équipe médicale soigne les blessés, avant de contacter ses collègues de l'hôpital pour les informer de l'état des patients. Les médecins urgentistes ont ainsi le temps de se préparer à les accueillir. Dans ce genre de situation, les différents services d'intervention travaillent souvent ensemble. Ainsi, la police peut interdire l'accès au lieu de l'accident pour éviter d'autres drames.

### GYROPHARES ET SIRÈNES
Dans toute intervention urgente, la rapidité est primordiale pour sauver des vies. Pour arriver plus aisément sur les lieux, les véhicules d'urgence sont munis de sirènes et de gyrophares, afin que les autres véhicules leur laissent le passage, et souvent ils sont peints d'une couleur distinctive identifiable immédiatement.

### APPELS D'URGENCE
La première chose à faire en cas d'accident, c'est de trouver un téléphone pour appeler le numéro d'urgence (18). Tous les appels parviennent à un standard où un opérateur décide quel type de secours envoyer. Des précisions sont ensuite transmises au service concerné, qui envoie immédiatement une équipe sur place.

Salle où parviennent tous les appels d'urgence

Volontaire
de la Croix-Rouge
en Ethiopie

Médecin secouriste
australien

La moto emporte
tout le matériel
médical.

AMBULANCE

AMBULANCE

### LES VOLONTAIRES
Outre leurs activités
professionnelles, un grand
nombre de sauveteurs se portent
volontaires pour accomplir des
missions difficiles et pour venir
en aide à ceux qui en ont besoin.
Comme des professionnels, ils
s'entraînent pendant leurs loisirs
pour faire face à des situations
de secours. Sans ces volontaires,
la plupart des organisations ne
pourraient pas apporter une aide
efficace et décisive aux victimes.

### L'ARRIVÉE DES SECOURS
Parfois, quand des accidents se produisent dans
des endroits difficiles d'accès, les secouristes
utilisent des motos ou des hélicoptères. Ces moyens
de transport sont vitaux dans les villes également,
car ils permettent d'éviter les embouteillages qui
retarderaient l'arrivée des secours automobiles.

Un secouriste
transporte
un blessé vers
l'ambulance.

Victime
d'un accident
de la route

# IL ÉTAIT UNE FOIS...

La tension et le drame qui accompagnent les opérations de sauvetage donnent lieu à des histoires, à des émissions et à des films captivants. Les légendes et les contes de fées regorgent de luttes contre des créatures surnaturelles, des démons, de vilaines sorcières ou des géants. Alors que la situation semble perdue, le valeureux héros accourt pour redresser la situation, grâce à ses pouvoirs magiques, à sa force surhumaine, à la ruse ou tout simplement à son immense courage. Le danger, l'héroïsme et la survie provoquent toujours le même enthousiasme. Les séries et les films catastrophes qui se déroulent dans l'univers des pompiers, des urgences, en mer ou dans les airs, attirent un très large public, et les documentaires consacrés aux interventions réelles font des sauveteurs de vrais héros populaires.

Robinson Crusoé

Superman volant au secours de personnes en danger

Robinson Crusoé

## LA « PETITE SIRÈNE »

Même si la plupart des légendes anciennes concernent des hommes ou des garçons qui sauvent des femmes ou des jeunes filles, il arrive que, dans certaines histoires, le héros soit une héroïne. Dans *la Petite Sirène* d'Hans Christian Andersen (1805-1875), une femme-poisson sauve un prince du naufrage et en tombe amoureuse. Le sauvetage de marins par de belles et mystérieuses sirènes était un thème très répandu dans de nombreux contes et légendes.

## NAUFRAGÉ

La survie et le sauvetage d'un naufragé offrent toujours un thème fascinant pour un récit d'aventures. Le naufragé imaginaire le plus connu est certainement Robinson Crusoé. Pour écrire son roman, l'auteur Daniel Defoe (1660-1731) s'est inspiré de l'histoire authentique d'Alexander Selkirk, qui fut abandonné à sa demande dans l'île déserte Mas a Tierra de 1704 à 1709.

## LE MEILLEUR AMI DE L'HOMME

Certains des plus grands héros du cinéma sont des animaux. L'un des plus célèbres est Lassie, la chienne colley qui tient la vedette depuis 1943. Inspirées du roman *Lassie chien fidèle*, d'Eric Knight (1897-1943), les incroyables aventures de Lassie la montrent en train de sauver des gens des flammes ou de la noyade.

## LE HÉROS À LA RESCOUSSE

Des pouvoirs extraordinaires comme la vision aux rayons X, une ouïe hypersensible, une force surnaturelle ou encore la faculté de voler permettent à des personnages imaginaires tels que Superman de sauver la planète. D'autres héros, comme James Bond, sont spécialement entraînés et équipés de gadgets insolites, tandis que d'autres, à l'image de Zorro, possèdent pour seules armes leur courage, la ruse et une certaine dextérité.

Une scène de *La Tour infernale*

## UN SUSPENS À SE RONGER LES ONGLES

Un des plus grands films catastrophes jamais réalisés fut *La Tour infernale*, en 1974, qui décrit l'incendie d'un gratte-ciel de 135 étages à San Francisco, aux Etats-Unis. Comme dans beaucoup d'autres films de ce genre produits aujourd'hui, le personnage central est un franc-tireur qui enfreint les règles et risque sa propre vie pour sauver les autres.

## MICHEL ET LE DRAGON

Des légendes anciennes, des contes de fées et même des films d'action contemporains mettent en scène des personnages masculins héroïques. L'archange saint Michel, protecteur d'Israël, est un combattant céleste qui affronte le démon figuré par un dragon.

Saint Michel
terrassant le dragon

# LES SAUVETAGES HISTORIQUES

Autrefois, quand survenait une catastrophe, le succès des opérations de secours dépendait souvent du hasard car il était difficile de donner l'alarme et les services d'intervention d'urgence étaient rares. Avec un peu de chance, il y avait à proximité quelqu'un pour venir en aide à une personne blessée ou pour courir chercher un médecin ou les pompiers. Les gens en difficulté dans un lieu isolé allumaient un feu ou tiraient un coup de feu pour attirer l'attention. En outre, on ne pouvait guère prévoir les catastrophes naturelles (comme les éruptions volcaniques et les tremblements de terre), alors les gens faisaient des offrandes aux dieux ou avaient des porte-bonheur censés les prémunir contre ce genre de drames. Les soins médicaux d'urgence consistaient à bander les blessés et à amputer les membres qu'on ne pouvait soigner.

Corps pétrifié d'une victime de l'éruption volcanique de Pompéi

**POMPÉI**
En l'an 79 apr. J.-C., lorsque le Vésuve, volcan situé près de la ville de Pompéi en Italie, entra en éruption, les habitants furent pris de court. La plupart des victimes moururent intoxiquées par la fumée. Les habitants de Stabies, non loin de là, virent et entendirent le volcan exploser avant que des nuages de cendres s'abattent sur leur ville. Ils s'enfuirent précipitamment, beaucoup avec des coussins sur la tête pour se protéger de la chute de débris.

Canot de sauvetage tiré par des chevaux

**HÉROÏNE D'UN NAUFRAGE**
En 1838, lors d'une tempête, un vapeur baptisé le *Forfarshire* commença à sombrer après avoir heurté des récifs sur les côtes nord-est de l'Angleterre. Grace Darling (1815-1842), alors âgée de 23 ans, et son père, gardien de phare, aperçurent le bateau naufragé et le rejoignirent à la barque, au péril de leurs vies, pour sauver les survivants.

## LE TREMBLEMENT DE TERRE DE SAN FRANCISCO

Frappée par un gigantesque séisme en 1906, la ville de San Francisco, aux Etats-Unis, fut dévastée. Un incendie ravagea les rues durant trois jours et deux nuits. On fit appel à l'armée pour arrêter la propagation du feu en faisant sauter des maisons pour l'isoler. Les simples citadins ne purent rien faire d'autre que de regarder leur ville brûler (ici, Sacramento Street).

Matériel de lutte contre le feu au XVIIe siècle

## À GRANDE EAU

De nombreuses villes sont bâties près d'une côte ou d'une rivière. Ces ressources en eau se sont souvent révélées capitales dans la lutte contre les incendies. Des volontaires formaient une chaîne humaine et se passaient des seaux d'eau, de la rivière jusqu'au lieu du sinistre. On utilisait également des pompes à main comme celle-ci pour combattre de petits foyers et on faisait écrouler des maisons situées sur le chemin du feu, afin d'arrêter sa progression.

## DES INTERVENTIONS RAPIDES

Les premiers véhicules de pompiers, qui appartenaient aux compagnies d'assurances, fonçaient sur les lieux du drame, mais ne s'attaquaient au feu que si l'insigne de leur compagnie était fixé sur la façade de l'immeuble en flammes. Ces voitures fonctionnaient avec des pompes manuelles et devaient être remplies avec des seaux. Les premiers camions à vapeur de pompiers furent mis en service aux Etats-Unis au milieu du XIXe siècle.

## LES CANOTS DE SAUVETAGE

Jusqu'à la fin du XVIIIe siècle, la plupart des navires ne possédaient pas de canots de sauvetage à bord. L'équipage comptait sur les pêcheurs pour lui porter secours en cas de détresse. Plus tard, des attelages de chevaux furent utilisés pour tirer jusqu'à la mer des canots de sauvetage basés sur les côtes.

Véhicule à vapeur de pompiers tiré par des chevaux

# AVEC LE SECOURS DE LA TECHNOLOGIE

De nos jours, les opérations de sauvetage sont moins périlleuses qu'autrefois, grâce aux progrès technologiques qui ont rendu possibles des missions très difficiles. Les moyens de communication actuels, tels le téléphone ou la radio, permettent d'alerter les secours. Des dispositifs de recherches localisent les personnes perdues, et tout un équipement sophistiqué aide à maîtriser des sinistres comme les incendies, les explosions, les fuites chimiques, et d'en limiter au maximum les dégâts. Des véhicules spéciaux transportent rapidement les blessés à l'hôpital tout en les maintenant en vie, et les progrès de la médecine permettent de les sauver alors qu'autrefois ils auraient succombé. Désormais, il est même souvent possible de prévoir certaines catastrophes naturelles et d'évacuer préventivement les personnes menacées.

**UNE BRILLANTE ASCENSION**
Les grosses roues du robot Hobo et son centre de gravité surbaissé lui permettent de grimper facilement les marches et de garder son équilibre malgré une forte inclinaison.

*Le canon à eau projette de l'eau sous pression pour désamorcer la bombe.*

**SOS !**
L'invention du télégraphe sans fil au début du XXe siècle a permis aux bateaux de communiquer avec les services de secours basés à terre et avec d'autres navires en mer. En cas d'urgence, les bateaux et les avions lancent un appel de détresse qui commence généralement par le mot « Mayday ! », déformation du français « M'aidez ! ».

**À LA RECHERCHE DES RESCAPÉS**
Pour détecter les survivants ensevelis sous les décombres d'un immeuble après un tremblement de terre ou une explosion, les équipes de secours utilisent des caméras à images thermiques qui captent la chaleur dégagée par le corps d'une personne vivante.

*Ce pompier utilise une caméra thermique.*

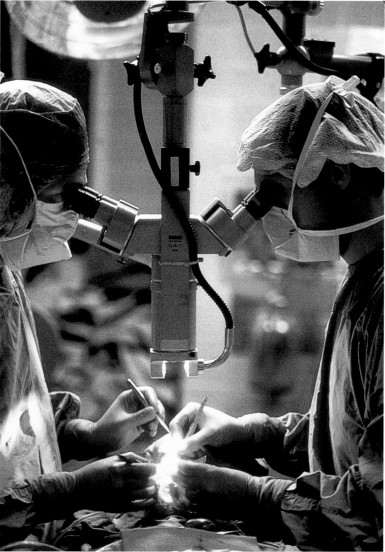

**LA MICROCHIRURGIE**
Une des merveilles de la médecine moderne est le pouvoir de recoudre des membres sectionnés. Afin que le membre refonctionne parfaitement, les nerfs, les veines et les capillaires doivent être reliés. Les chirurgiens utilisent des instruments très précis et suivent leur travail à l'aide d'un microscope binoculaire qui donne une impression de relief. Il faut parfois dix-neuf heures d'opération pour recoudre une main, et plusieurs chirurgiens travaillent ensemble ou se relaient.

**DES YEUX DANS LE CIEL**
Les satellites artificiels tournent en orbite autour de la Terre, certains à une altitude de 35 800 km. De là-haut, ils observent la planète et envoient leurs informations à des stations terrestres par le biais de micro-ondes ou d'ondes radio. Ces satellites peuvent servir à prévoir les tempêtes, à suivre la progression des incendies de forêt, à détecter l'évolution des volcans et même à permettre aux bateaux de faire le point par GPS (Global Positioning System).

*Caméra fixée sur le bras*

*Ce fusil permet d'accéder à la bombe, en faisant sauter une serrure de porte, par exemple.*

*Satellite de télécommunication en orbite*

*Cette caméra vidéo filme la scène.*

**LE ROBOT NOYEUR DE BOMBES**
Désamorcer des bombes était autrefois une activité très dangereuse effectuée manuellement. En 1972 fut inventé le premier robot télécommandé capable de faire sauter un engin explosif. Ces machines s'approchent d'une bombe ou d'une mine et la désintègrent, tandis que le manipulateur reste à distance et suit l'opération sur un écran grâce aux caméras fixées sur le robot. Celui-ci, Hobo, est muni d'un bras mécanique et d'un canon à eau destiné à noyer les explosifs.

*Ce membre d'équipage d'un bateau surveille l'écran du radar.*

*Un piston hydraulique fait monter et descendre le bras.*

*L'émetteur transmet les informations entre le robot et le manipulateur, et inversement.*

**LE RADAR**
Inventé juste avant le début de la Seconde Guerre mondiale, le radar émet des signaux radio qui sont renvoyés par les objets, jusqu'à 3 200 km de distance, afin de déterminer leur position, leur forme et leur vitesse de déplacement. Les radars sont utilisés par les bateaux, les avions et les systèmes de contrôle aérien pour éviter les collisions et également pour localiser des embarcations ou des appareils perdus.

*Robot Hobo télécommandé*

*La caméra d'orientation à l'avant est fixe.*

*Les roues mues par un moteur électrique permettent à Hobo de se déplacer à 4,8 km/h.*

# LES SAPEURS-POMPIERS

Le feu se propage rapidement dans un immeuble : les flammes et la fumée l'enveloppent en quelques minutes, barrant le passage aux personnes à l'intérieur et détruisant tout le bâtiment. Nous avons tous vu un camion de pompiers foncer vers un incendie, gyrophares allumés et sirène hurlante. Les engins d'incendie modernes ne transportent pas que des lances et des tuyaux d'incendie mais les équipements nécessaires au secours tels que des cordages, des outils de découpe, jusqu'aux serpillières pour réaliser des assèchements. Des véhicules spéciaux sont même équipés uniquement d'échelles et d'outils de désincarcération. La plupart des camions de pompiers transportent de l'émulseur qui, mélangé à l'eau des tuyaux, donne de la mousse, qui peut étouffer un feu intense alors que l'eau s'évaporerait sous l'effet de la chaleur.

**RESTER EN CONTACT**
Les pompiers utilisent une radio dans la cabine du camion. Ils restent ainsi en contact avec le central qui les tient informés de l'évolution du sinistre.

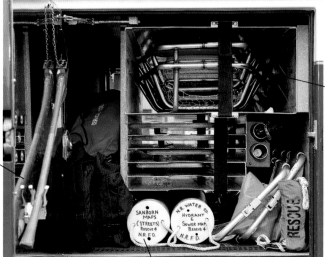

*Hache*

*Civières*

**UNE VUE D'ENSEMBLE**
La plupart des échelles de pompiers possèdent une nacelle protectrice montée sur les parcs de l'échelle que l'on peut soulever et orienter, afin que les pompiers bombardent les flammes d'en haut, en utilisant une lance installée dans la nacelle.

**UN ESPACE DE RANGEMENT**
Dans chaque véhicule de pompiers on trouve plusieurs compartiments qui servent à ranger le matériel indispensable. Ce casier (à droite) contient des cartes, des outils, des civières, du matériel respiratoire, des haches et parfois des plans des réseaux de surface (eau, gaz, électricité, etc.).

Intérieur d'un casier

*Plans des rues*

**LA HACHE**
Les pompiers utilisent des haches depuis toujours. Elles leur permettent, par exemple, de défoncer des portes de bois pour pénétrer dans un immeuble en feu.

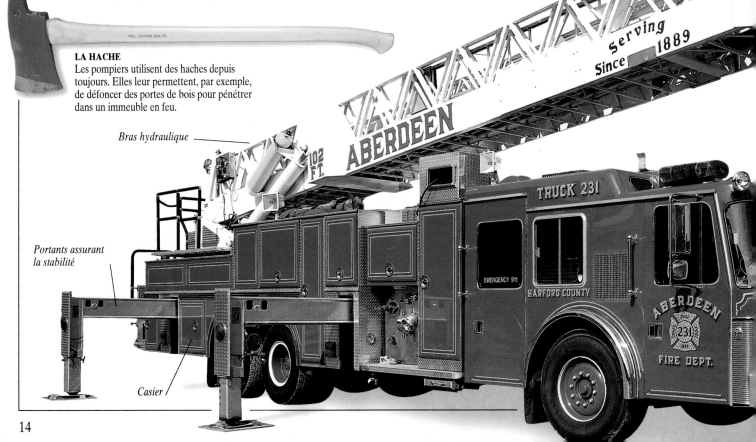

*Bras hydraulique*

*Portants assurant la stabilité*

*Casier*

Grue     Bouteilles d'air     Harnais     Sacs orange contenant des cordes

ABERDEEN FIRE DEPT.

Cisailles

Coussins d'air

## UNE AIDE SUPPLÉMENTAIRE

Dans certains cas, un seul camion de pompiers ne suffit pas. Ce gigantesque camion est muni d'une grande grue de 15 m qui permet de soulever un véhicule renversé, ou de treuiller du matériel là où c'est nécessaire. Ce camion transporte également des panneaux et des étais pour retenir un mur qui menacerait de s'effondrer.

## LE MANIEMENT DU MATÉRIEL

Les pompiers doivent savoir utiliser tout le matériel disponible à bord du camion, que ce soit une pince coupante ou une lance à haute pression (voir ci-contre). Il est essentiel de vérifier régulièrement le matériel pour s'assurer que tout fonctionne et que chaque chose est rangée à sa place pour être localisée rapidement. Sur le lieu d'un incendie ou d'un accident, un matériel défectueux ou manquant peut coûter des vies humaines.

## RETOUR VERS LA SÉCURITÉ

Pour accéder au sommet d'un immeuble en flammes et sauver les personnes prisonnières d'un incendie, les pompiers utilisent de grandes échelles dotées d'une nacelle protectrice. Après avoir localisé les survivants paniqués, les pompiers les font monter dans la nacelle et les redescendent avec précaution vers le sol. Certaines de ces nacelles sont équipées de lances qui pulvérisent de l'eau pour que les personnes bloquées dans l'immeuble ne succombent pas à la chaleur.

Lutte contre le puissant incendie du château de Windsor au Royaume-Uni, en 1992

**LA PERCHE DE FEU**
Quand l'alarme retentit dans une caserne anglaise ou américaine, les pompiers se laissent glisser le long d'une perche, enfilent leur tenue et sautent dans le camion. En France, les pompiers montent dans leur véhicule et finissent de s'habiller à bord.

*Perche métallique glissante*

# LES SOLDATS DU FEU

Les flammes ne sont pas le seul danger qu'affrontent les pompiers. Ils doivent souvent traverser une épaisse fumée asphyxiante pour secourir des personnes prises au piège. La chaleur intense les empêche de respirer et les murs ou les planchers d'un bâtiment dévasté par le feu risquent de s'écrouler à tout moment. En outre, la lutte contre les incendies n'est qu'un aspect de leur travail. Les pompiers interviennent également lors des accidents domestiques, routiers, industriels. Pour affronter de telles situations, les soldats du feu subissent un entraînement rigoureux, en reconstituant des accidents aussi impressionnants que dans la réalité.

**1 L'HABILLEMENT**
Les uniformes sont prêts, les bottes sont déjà glissées dans le pantalon. Ainsi, les pompiers enfilent tout en même temps pour gagner du temps.

*Les bottes sont déjà dans le pantalon.*

**2 UN PANTALON DE PROTECTION**
Epais, fait dans une matière ignifugée, il est retenu par de grosses bretelles.

**LE DRAME DU TUNNEL DU MONT-BLANC**
Un incendie dans un tunnel est une chose terrifiante. La fumée envahit les lieux à toute vitesse et les secours ont du mal à localiser l'origine du feu et les personnes en danger. En 1999, un camion a pris feu dans le tunnel du Mont-Blanc, long de 11 km, qui relie la France à l'Italie en passant sous les Alpes. Le feu a duré deux jours, et il fallut presque une semaine aux pompiers français, suisses et italiens pour dégager les blessés et les morts (41), avant de dégager les véhicules détruits.

*Gants protecteurs*

*Masque à oxygène pour se protéger de la fumée*

**3 LA VESTE**
Elle est dotée de bandes réfléchissantes qui permettent aux pompiers d'être vus à travers une épaisse fumée.

**4 MASQUE À OXYGÈNE**
Une fois la bouteille d'oxygène ouverte, le pompier est prêt à intervenir. Il peut être entièrement habillé, et assis dans le camion, en seulement trente secondes.

**DES TROMBES D'EAU**
Dès que le camion est branché à l'arrivée d'eau la plus proche, les pompes peuvent alimenter les lances. Quand le jet puissant arrose les flammes, il faut plusieurs pompiers pour maîtriser la lance. Dans les endroits dépourvus de canalisations, les camions transportent leur propre réserve d'eau.

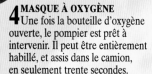

*La pression du jet d'eau est assez puissante pour assommer une personne.*

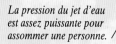

**COMME UNE BOÎTE
DE CONSERVE**
Quand des gens sont prisonniers
d'un incendie, les pompiers
enfilent un masque à oxygène et
plongent au cœur de la fumée
pour les secourir avant qu'ils ne
succombent étouffés ou brûlés. La
rapidité est capitale, et les
pompiers utilisent une scie
électrique pour découper des
portes métalliques ou des grilles.

**L'ACCIDENT DE VOITURE**
Quand un véhicule est accidenté, il peut y avoir une fuite de
carburant et le feu risque de prendre à tout moment. La « première »
priorité des pompiers consiste à sauver le conducteur et les
passagers. Pour ce faire, ils sont parfois obligés de découper
la carrosserie, en utilisant une machine qui découpe les taules.
Parallèlement, ils aspergent la voiture d'un mélange de mousse
et d'eau pour neutraliser les fuites d'essence.

*Gants résistants
ralentissant
la propagation
de la chaleur*

*Le large rebord
du casque
protège la nuque
des étincelles.*

*Cette puissante scie
électrique fonctionne
sur batterie.*

# SOUS LES DÉCOMBRES

Coincé à l'intérieur d'un tunnel effondré, il y a peu de choses à faire, à part attendre l'arrivée des secours. Ce sont généralement les pompiers qui interviennent, mais on fait parfois appel à des ingénieurs spécialisés. En raison d'une défaillance mécanique dans un téléphérique ou une attraction foraine, des gens peuvent se retrouver suspendus au-dessus du vide, incapables d'atteindre le sol sans une aide extérieure. Bâtiments, mines ou tunnels désaffectés sont encore plus dangereux. Avec le temps, ils se détériorent et deviennent un piège potentiel pour les inconscients qui s'y aventurent.

**SUSPENDUS DANS LE VIDE**
Quand un téléphérique tombe en panne, les passagers restent bloqués à plusieurs centaines de mètres au-dessus du vide. La plupart des cabines sont munies d'une trappe d'évacuation et, parfois, d'une échelle qui permet de descendre jusqu'au sol.

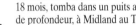

**SAUVETAGE D'UN NOURRISSON**
En octobre 1987, Jessica McClure, âgée de 18 mois, tomba dans un puits asséché de 6,5 m de profondeur, à Midland au Texas (Etats-Unis). Aucun adulte ne pouvant descendre dans le puits large seulement de 20 cm, les sauveteurs durent creuser un deuxième puits vertical, parallèle au premier, puis une galerie horizontale, à travers la roche, pour atteindre le bébé prisonnier qui n'était que légèrement blessé.

**L'EFFONDREMENT D'UNE MINE**
Malgré un matériel de sécurité sophistiqué, comme des arches de soutènement en acier et des vérins hydrauliques, les mines demeurent des endroits extrêmement dangereux. Il suffit parfois de forer dans une roche friable pour provoquer un effondrement qui bloquera la sortie. Ces sauveteurs portent un blessé qui était coincé au fond d'une mine d'or, à 2 000 m sous terre.

**LES CHUTES D'ARBRE**
Une violente tempête est capable de déraciner un gros arbre et de le faire tomber sur une route, une maison ou un véhicule. Les équipes de secours utilisent d'énormes grues pour soulever l'arbre en douceur, afin de ne pas causer de dégâts supplémentaires.

**MONTAGNES RUSSES**
Le plaisir que procurent les montagnes russes vient de la peur provoquée par la sensation de chute dans le vide. Les passagers sont maintenus sur leur siège par la force que créent la vitesse et le mouvement. Mais, en cas de panne ou d'accident, ils peuvent se retrouver suspendus dans le vide, retenus uniquement par leur ceinture de sécurité.

*Les visiteurs d'un parc d'attractions, témoins de l'accident*

*Les voitures de cette attraction foraine ont déraillé.*

**LES DÉGÂTS D'UNE EXPLOSION**
En avril 1995, une bombe de forte puissance explosa devant
cet immeuble de l'administration fédérale à Oklahoma City (Etats-Unis),
détruisant la moitié du bâtiment de neuf étages. Pendant quinze jours, des
secouristes accompagnés de chiens fouillèrent les décombres à la recherche
de survivants. Une garderie pour enfants et un bureau de la sécurité sociale
se trouvaient dans la partie la plus touchée. Plus de 80 personnes périrent.

# L'AMBULANCE DES AIRS

De nombreuses villes disposent d'hélicoptères-ambulances qui permettent de survoler les embouteillages pour atteindre et transporter plus rapidement les blessés. Les hélicoptères sont également utilisés dans des zones d'accès difficiles. En suivant les instructions que lui envoie une équipe basée au sol, le pilote se pose le plus près possible de la personne en difficulté, parfois sur le toit d'un immeuble ou sur une zone dégagée, comme un terrain de sport. Les secouristes qui se trouvent à bord dispensent les premiers soins ; ils doivent posséder de vastes connaissances médicales et travailler dans des situations difficiles car ils arrivent généralement les premiers sur les lieux.

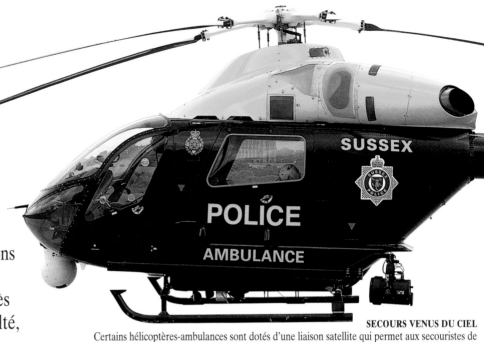

**SECOURS VENUS DU CIEL**
Certains hélicoptères-ambulances sont dotés d'une liaison satellite qui permet aux secouristes de dialoguer avec les médecins de l'hôpital le plus proche. S'ils ont assez de temps, il leur est souvent plus utile de consulter un spécialiste que d'administrer un traitement médical inapproprié à un malade.

**À L'INTÉRIEUR DE L'AMBULANCE DES AIRS**
Le matériel médical que transporte l'hélicoptère est conçu pour être le plus léger et le plus maniable possible. Casqués, les secouristes sont prêts à opérer dans les situations les plus risquées.

*Bande élastique pour retenir une attelle autour de la jambe*

**LES FRACTURES**
On utilise des attelles pour immobiliser les membres en cas de fractures des os longs, surtout pour les jambes.

*Attelle réglable*

*Bande de cheville pour maintenir une attelle*

**LA PLANCHE DORSALE**
Les secouristes installent avec précaution une personne blessée à la colonne vertébrale sur une planche rigide spéciale, adaptée à son évacuation en ambulance de l'air.

*Support de tête*          *Sangle permettant de maintenir le blessé*

**LES MÉDECINS VOLANTS**
Dans certaines régions d'Afrique ou d'Australie,
les distances sont si importantes et les routes si peu
praticables que les malades doivent faire appel
à un médecin volant en cas d'urgence. Une fois alerté,
le centre de secours envoie un médecin à bord
d'un petit avion muni de tout le matériel médical
nécessaire, qui transportera le malade
à l'hôpital le plus proche, si nécessaire.

Poche de sérum
en cas d'hémorragie

Matériel pour
administrer
le sérum

Médicaments pour soigner les crises
cardiaques

Ce masque à oxygène
se branche sur
une bouteille.

Tube
respiratoire
placé dans
la bouche
du blessé

Pansements
stériles

Téléphone
cellulaire

Paire
de ciseaux

Cet aspirateur
permet
de nettoyer
la bouche
du blessé.

Stéthoscope

Médicaments antidouleur

Des canules permettent
au blessé de
respirer.

Cet appareil pour mesurer
la tension s'attache au poignet du blessé.

Appareil pour
vérifier le pouls

Cette minerve réglable maintient la tête
du blessé en attendant que les médecins
l'aient examiné attentivement.

**LA « TROUSSE » DES SECOURISTES**
Les secouristes des hélicoptères-ambulances possèdent un sac à dos contenant du matériel de
premiers soins adapté à tous les cas de figure. La rapidité est un facteur vital. Les secouristes
prennent leur « trousse » et se précipitent sur le lieu de l'accident pour soigner les blessés.

Contenu du sac à dos de secouriste

# À BORD D'UNE AMBULANCE

Une ambulance est équipée pour faire face à tous les types d'urgences médicales. On y trouve aussi bien des bouteilles d'oxygène que des médicaments, des pansements pour stopper les hémorragies ou des attelles pour immobiliser des membres brisés, des civières et des couvertures. Le personnel médical à bord décide des soins à apporter et, si besoin est, il accomplit des gestes de premiers secours, comme le massage cardiaque. Après avoir paré au plus pressé, il administre au blessé des antalgiques ; simultanément il contacte l'hôpital pour informer l'équipe médicale de son arrivée et décrit l'état du blessé.

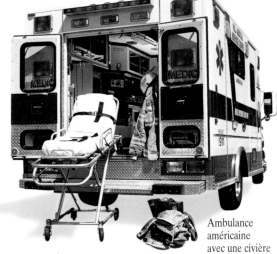

Ambulance américaine avec une civière

*Canule pour faire avaler des médicaments*

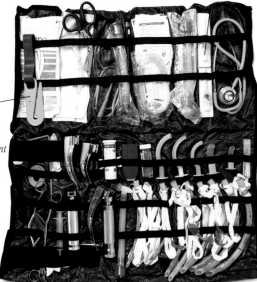

*Tube permettant d'injecter du sérum dans les veines d'un blessé*

*Outil pour couper les ceintures de sécurité*

*Sérum remplaçant le sang perdu*

### LES CIVIÈRES
La plupart des civières des ambulances sont munies de roues qui se déplient automatiquement pour former un chariot une fois sorties du véhicule. Quand on les repousse à l'intérieur de l'ambulance, les roues se replient aisément. Des montants et des lanières maintiennent le blessé ; la hauteur, l'inclinaison, les repose-tête peuvent être réglés en fonction de son état.

### POUR DIMINUER LA DOULEUR
Les personnes ayant subi un traumatisme ont besoin d'un moyen efficace pour soulager leur douleur. Les ambulances sont équipées d'une bouteille d'oxygène que l'on fait respirer au blessé à l'aide d'un masque placé sur son visage.

### REMPLACER LE SANG PERDU
En Grande-Bretagne, toutes les ambulances transportent deux litres de sérum contenant tous les composants vitaux présents dans le sang d'un être humain. Le contenu de cette poche sert à remplacer le sang perdu par un blessé.

### LA TROUSSE D'INTUBATION
Cette trousse contient du matériel permettant de soigner différents types de blessés. Les laryngoscopes servent à examiner la gorge et les tubes endotrachéaux aident une personne victime d'une grave blessure à la tête ou au cou à respirer. Il y a également un stéthoscope pour écouter la respiration du blessé.

*Bouteille contenant du gaz et de l'air*

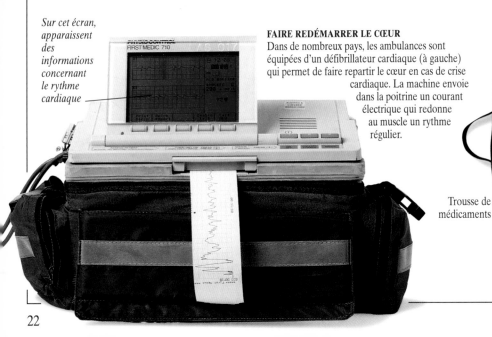

*Sur cet écran, apparaissent des informations concernant le rythme cardiaque*

### FAIRE REDÉMARRER LE CŒUR
Dans de nombreux pays, les ambulances sont équipées d'un défibrillateur cardiaque (à gauche) qui permet de faire repartir le cœur en cas de crise cardiaque. La machine envoie dans la poitrine un courant électrique qui redonne au muscle un rythme régulier.

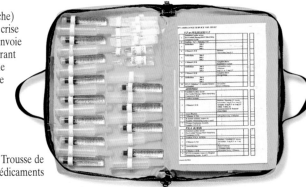

*Trousse de médicaments*

### LES MÉDICAMENTS POUR LE CŒUR
Cette trousse contient de l'adrénaline, que l'on injecte à une personne victime d'un arrêt cardiaque. L'équipe de secours lui fait des piqûres à intervalles réguliers et, en même temps, le défibrillateur contrôle l'état cardiaque du patient.

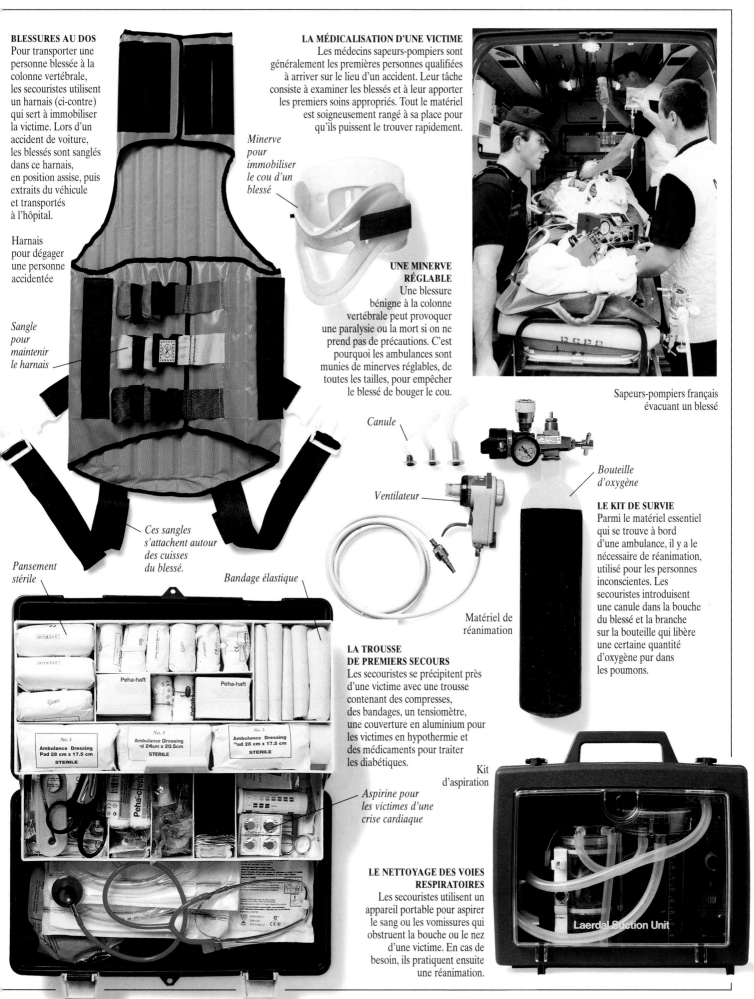

**BLESSURES AU DOS**
Pour transporter une personne blessée à la colonne vertébrale, les secouristes utilisent un harnais (ci-contre) qui sert à immobiliser la victime. Lors d'un accident de voiture, les blessés sont sanglés dans ce harnais, en position assise, puis extraits du véhicule et transportés à l'hôpital.

*Harnais pour dégager une personne accidentée*

*Sangle pour maintenir le harnais*

*Ces sangles s'attachent autour des cuisses du blessé.*

*Pansement stérile*

**LA MÉDICALISATION D'UNE VICTIME**
Les médecins sapeurs-pompiers sont généralement les premières personnes qualifiées à arriver sur le lieu d'un accident. Leur tâche consiste à examiner les blessés et à leur apporter les premiers soins appropriés. Tout le matériel est soigneusement rangé à sa place pour qu'ils puissent le trouver rapidement.

*Minerve pour immobiliser le cou d'un blessé*

**UNE MINERVE RÉGLABLE**
Une blessure bénigne à la colonne vertébrale peut provoquer une paralysie ou la mort si on ne prend pas de précautions. C'est pourquoi les ambulances sont munies de minerves réglables, de toutes les tailles, pour empêcher le blessé de bouger le cou.

*Sapeurs-pompiers français évacuant un blessé*

*Canule*

*Ventilateur*

*Bouteille d'oxygène*

*Matériel de réanimation*

**LE KIT DE SURVIE**
Parmi le matériel essentiel qui se trouve à bord d'une ambulance, il y a le nécessaire de réanimation, utilisé pour les personnes inconscientes. Les secouristes introduisent une canule dans la bouche du blessé et la branche sur la bouteille qui libère une certaine quantité d'oxygène pur dans les poumons.

*Bandage élastique*

**LA TROUSSE DE PREMIERS SECOURS**
Les secouristes se précipitent près d'une victime avec une trousse contenant des compresses, des bandages, un tensiomètre, une couverture en aluminium pour les victimes en hypothermie et des médicaments pour traiter les diabétiques.

*Aspirine pour les victimes d'une crise cardiaque*

*Kit d'aspiration*

**LE NETTOYAGE DES VOIES RESPIRATOIRES**
Les secouristes utilisent un appareil portable pour aspirer le sang ou les vomissures qui obstruent la bouche ou le nez d'une victime. En cas de besoin, ils pratiquent ensuite une réanimation.

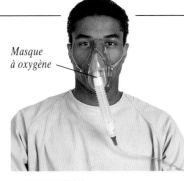

*Masque
à oxygène*

**LA RESPIRATION**
Une des fonctions vitales du corps est
la respiration. Quand une personne inspire,
le corps absorbe l'oxygène dont elle
a besoin. Si un blessé a du mal à respirer,
un membre de l'équipe médicale lui
applique sur le nez et la bouche un masque
qui insuffle de l'oxygène pur.

# LES URGENCES MÉDICALES

Dans un hôpital, le lieu le plus animé est le service des urgences.
Dès qu'une ambulance arrive, les secouristes s'empressent de conduire
le blessé à l'intérieur où ils décrivent son état à un interne. La priorité
est donnée à la survie du blessé en régulant ses fonctions vitales :
faire redémarrer le cœur, nettoyer les voies respiratoires, donner
des médicaments pour contrer une forte réaction allergique ou bien
soigner de graves blessures. Dans certains cas, les urgentistes se contentent
de stabiliser l'état d'un patient avant de le conduire en salle d'opération.
Grâce aux progrès en matière de médicaments, d'équipement
et de techniques chirurgicales, des personnes qui seraient mortes
il y a cinquante ans sont
sauvées aujourd'hui.

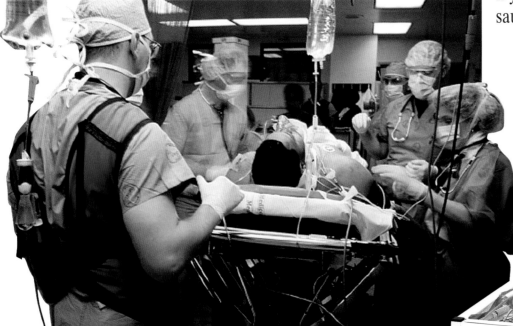

**UNE QUESTION
DE TEMPS ET DE RAPIDITÉ**
Dès que le blessé ou le malade est aux
urgences, médecins et infirmières réagissent
rapidement en fonction de son état avant
de le diriger vers le service approprié
ou de se préparer à opérer en cas de besoin.

*Ballon pour injecter de l'air
à un blessé en attendant
d'avoir de l'oxygène*

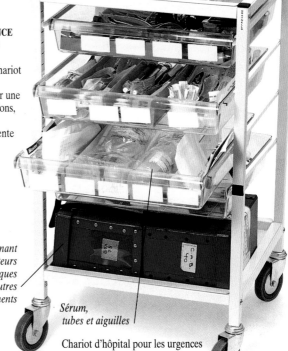

**LE CHARIOT D'URGENCE**
Au service des urgences
d'un hôpital, l'équipe
médicale dispose d'un chariot
contenant le matériel
nécessaire pour affronter une
grande variété de situations,
qu'il s'agisse d'un arrêt
cardiaque ou d'une violente
réaction allergique.
Chaque instrument
est rangé à un endroit
bien précis pour que
le personnel puisse
le trouver rapidement.

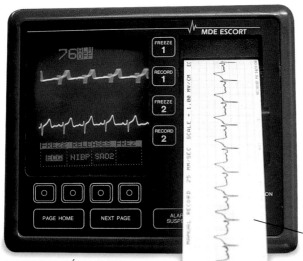

*Diagramme
montrant
le rythme
cardiaque*

*Boîtes contenant
des stimulateurs
cardiaques
et autres
médicaments*

*Sérum,
tubes et aiguilles*

Chariot d'hôpital pour les urgences

**LE CORPS PASSÉ AU CRIBLE**
Parfois, le médecin a besoin de voir l'intérieur du corps d'un patient pour
faire son diagnostic. On utilise des scanners pour examiner les tissus mous,
alors que les rayons X font apparaître les os. Un électrocardiogramme (ECG)
(ci-dessus) permet de détecter les problèmes cardiaques en enregistrant
les signaux électriques produits par les battements du cœur.

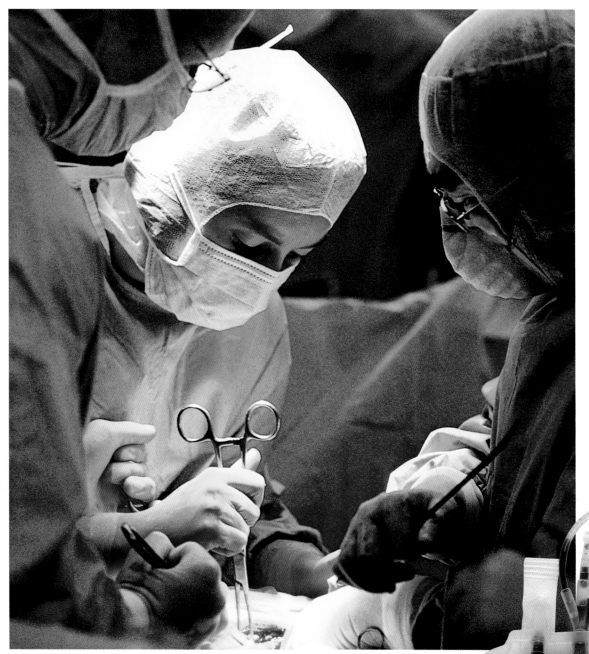

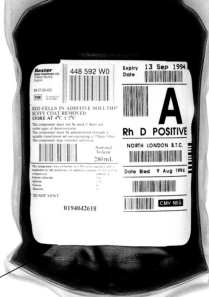

Sachet de sels de réhydratation

**SELS DE RÉHYDRATATION**
Les médecins humanitaires en mission dans les pays en voie de développement sont souvent confrontés à de graves cas de déshydratation, généralement provoquée par des épidémies de typhoïde ou de choléra, qui entraînent des diarrhées. Un organisme déshydraté perd une grande quantité de liquides corporels et de sels minéraux, et la vie de la personne est alors menacée. Les sels de réhydratation qui contiennent des sels minéraux tels que le potassium, le sodium et le sucre, sont un remède efficace.

**CHIRURGIE VITALE**
Parfois, l'état d'un patient oblige les médecins à pratiquer une opération chirurgicale pour réparer ou ôter une partie du corps. Grâce au matériel et aux techniques modernes, les chirurgiens peuvent maintenant intervenir sur des organes aussi importants que les poumons et le cœur sans mettre en danger la vie du malade.

Une équipe de chirurgiens effectue une opération à cœur ouvert.

**LE SANG DE LA VIE**
Les blessés qui ont perdu beaucoup de sang ont besoin d'une transfusion intraveineuse. Les personnes en bonne santé donnent leur sang, qui est stocké dans une « banque du sang », avant d'être utilisé en cas d'urgence. Parfois, on n'utilise que le plasma qui renferme les sels, les sucres et les protéines nécessaires à la coagulation, et les anticorps qui combattent les infections.

*Plaquettes pour stimuler la coagulation du sang*

*Poche contenant des globules rouges concentrés*

# LES FORCES DE POLICE

En cas d'accident, l'arrivée d'un policier en uniforme provoque souvent un grand soulagement. Il alerte par radio les secours, délimite un périmètre de sécurité et maintient à l'écart les curieux. Pour intervenir dans un contexte violent, les gardiens de la paix sont équipés d'une matraque, d'une bombe de gaz lacrymogène et même d'une arme à feu. Il existe également des équipes de police spécialisées dans les opérations de recherches et de sauvetage, comme les maîtres-chiens ou les équipages d'hélicoptère.

Insigne du centre de tir de la police nationale française

**VOITURE DE POLICE**
Des couleurs distinctives, des bandes réfléchissantes et un insigne bien visible permettent de différencier les voitures de police des autres véhicules.

*Gyrophare*

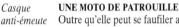

**UNE MOTO DE PATROUILLE**
Outre qu'elle peut se faufiler au milieu de la circulation, une moto permet aussi de circuler à vive allure dans les rues étroites ou sur un terrain accidenté, là où ne pourrait s'aventurer aucune voiture. Des deux-roues semblables à ceux conçus pour le motocross sont parfois utilisés en assistance pour les opérations de sauvetage dans des zones montagneuses ou boisées.

*Agent de la circulation grec*

**L'AGENT DE LA CIRCULATION**
Les policiers interviennent pour régler la circulation sur les lieux d'un accident et pour contrôler les routes quand il y a trop de voitures. Ils utilisent des sifflets pour attirer l'attention des conducteurs et ils portent des gants ou des accessoires blancs qui rendent leurs gestes plus visibles.

*Casque anti-émeute*

*Visière de protection*

*Veste munie de bandes fluorescentes visibles la nuit*

**À CHEVAL**
Assis en hauteur, un policier à cheval repère très vite un incident au milieu d'une foule. Au cours d'une manifestation, un cavalier et sa monture, l'un et l'autre protégés par un équipement anti-émeute, résistent plus facilement à une agression qu'un simple policier à pied. Le cheval impose un certain respect.

*Protège-jambe*

**LES RECHERCHES AVEC DES CHIENS**
Les chiens policiers sont dressés pour retrouver des personnes disparues, grâce à leur flair. Chaque animal est dressé et soigné par son maître et il s'établit entre eux une relation profonde. Les chiens policiers sont également entraînés à détecter les drogues, à pourchasser les criminels et à les attraper par le bras pour les empêcher de fuir. Le berger allemand est la race de chiens la plus utilisée par la police.

**VU DU CIEL**

Placé conjointement sous les ordres de la police et des secours médicaux, l'équipage de cet hélicoptère se compose d'un pilote, d'un policier et d'un médecin. Au cours d'une opération de recherches ou de secours, les hélicoptères peuvent couvrir une vaste zone. Grâce à la caméra thermique placée à l'avant, l'équipage peut localiser, dans l'obscurité ou par mauvais temps, des personnes disparues et des criminels en fuite.

*Ecran indiquant la position*

*Tableau de bord vidéo infrarouge*

*Caméra thermique*

**À L'INTÉRIEUR DU COCKPIT**

Un système de sonorisation installé sur l'hélicoptère permet à l'équipage de communiquer avec des personnes au sol ou d'émettre une sirène. Parmi les autres innovations technologiques figure un système de navigation relié à un écran, qui indique la position exacte de l'appareil et qui permet au pilote de se rendre à l'endroit précis où l'on a besoin de lui.

**LE CONTRÔLE DE LA SITUATION**

Lors d'un accident de la route, d'un incendie ou de toute autre catastrophe, les policiers détournent la circulation puis maintiennent les curieux à l'écart avec des bandes de plastique ou des cônes de signalisation. Cela permet aux véhicules de secours d'arriver sur place et d'évacuer les blessés rapidement. En outre, il s'agit d'empêcher personnes et véhicules d'approcher du lieu du drame tant que tout danger n'est pas écarté.

*Un véhicule d'entretien arrive pour le dégagement de la chaussée.*

*Des policiers organisent l'enlèvement d'un véhicule accidenté.*

# LES UNITÉS SPÉCIALES D'INTERVENTION

*Viseur*

Un terroriste fait irruption dans le cockpit d'un avion et hurle : « Il y a une bombe à bord, suivez exactement mes instructions ! », des braqueurs de banque sortent leurs armes et crient : « Tout le monde à terre ! ». Aussitôt des équipes de policiers ou de militaires sont mises en alerte. Des personnes spécialement entraînées tentent des pourparlers. La situation est tendue. Les terroristes ou les malfaiteurs se savent encerclés, il n'y a pas de fuite possible. Mais ils savent aussi que les brigades spécialisées hésiteront à intervenir tant qu'ils détiendront des otages, de peur de mettre en danger la vie d'innocents. Si les négociations échouent ou si des otages sont blessés ou mis en danger, les unités spéciales passent à l'action.

**L'INSIGNE DU SAS**
Le régiment secret de l'armée britannique, le Special Air Service (SAS), a pour devise « Qui ose gagne ».

**ASSAUT SUR L'AMBASSADE D'IRAN**
En avril 1980, des terroristes firent irruption dans l'ambassade d'Iran à Londres. Quand ils abattirent deux otages, le SAS donna l'assaut. Certains soldats sautèrent du toit, attachés à des cordes, et entrèrent par les fenêtres en utilisant des marteaux et des explosifs. Ils sauvèrent les otages survivants.

*Soldat de commando à l'entraînement au Salvador*

**L'ENTRAÎNEMENT**
Outre leur entraînement physique poussé, les membres des équipes d'intervention armée apprennent à survivre et à opérer dans différents milieux : le désert, les montagnes, la jungle ou la mer. Ils acquièrent toutes sortes de connaissances variées, des langues étrangères, le secourisme, le morse, le parachutisme, et bien sûr, le maniement des armes et des explosifs.

**LE SWAT**
Quand une situation échappe aux forces de police traditionnelles, lors d'une prise d'otages par exemple, des unités spéciales interviennent. Aux Etats-Unis, il s'agit des Swat (Special Weapons and Tactics) ; en France, il existe le Raid (Unité de recherche, assistance, intervention et dissuasion) et le GIGN (Groupe d'intervention de la gendarmerie nationale).

Lunette de visée nocturne

Crosse réglable

Mitraillette MP5

Cagoule

Masque à gaz

## L'UNIFORME DU SAS
Un gilet pare-balles protège les membres des forces d'intervention des projectiles et des coups de couteau. Au cours de certaines opérations, ils portent également des cagoules afin de ne pas être reconnus. Lors d'un assaut, des masques à gaz les protègent des gaz toxiques ou paralysants.

## LES ARMES
Les membres des équipes d'intervention sont équipés d'armes légères, mais précises, faciles à manipuler dans les circonstances les plus périlleuses. Ils sont également formés au maniement des explosifs et à celui de tous les types d'armes que peuvent utiliser les terroristes.

Gant en cuir

Gilet pare-balles

## LE DÉTOURNEMENT
Afin d'obtenir, par exemple, la libération de prisonniers politiques, des terroristes peuvent s'emparer d'un avion par la force et prendre en otage les passagers et l'équipage. Des négociateurs et des équipes d'intervention armée tentent alors de libérer les otages et de capturer les pirates de l'air.

Cartouchière

Sangle de cuisse

## LA SURVEILLANCE
Le plus important dans une situation tendue, comme un détournement d'avion, c'est de savoir exactement ce qui se passe, grâce à une surveillance rapprochée. Au sol, cela peut se faire avec des jumelles, des écoutes téléphoniques, des micros ou d'autres instruments d'espionnage, comme ceux qui se trouvent dans cette mallette d'audiosurveillance utilisée dans les années 1960 et 1970.

Chaussure à bout renforcé

# LES MAÎTRES NAGEURS SAUVETEURS

Depuis une plage ou du bord d'une piscine pleine de baigneurs, il est parfois difficile de faire la différence entre quelqu'un qui agite gaiement les bras et une personne en difficulté. Au bord de la mer, le danger peut surgir à tout moment : un nageur imprudent s'éloigne trop du bord ou se trouve entraîné par des courants violents, un autre est victime de crampes ou d'un malaise soudain, un autre encore qui risque de se cogner la tête contre un rocher ou d'être piqué par une méduse. Les maîtres nageurs qui surveillent les plages ou les piscines sont prêts à plonger pour sauver toute personne en danger car ils sont entraînés pour ramener les personnes en danger sur la terre ferme et leur prodiguer les premiers soins.

**AUX AGUETS**
Du haut du poste de guet installé sur la plage, ici à Hawaii, le maître nageur surveille la zone de baignade et une vaste étendue de mer. Les maîtres nageurs sauveteurs utilisent des jumelles pour observer les nageurs en mer.

**ICI, SAUVETEURS**
Ce panneau d'Honolulu indique que l'endroit est surveillé par des maîtres nageurs. Les plages de France sont surveillées par des CRS de la Police nationale.

**À LA RAME**
Nombreux sont les nageurs qui se laissent surprendre par les gigantesques vagues de certaines plages australiennes. Les zones dangereuses sont équipées de grands bateaux à rames spécialement conçus pour franchir ces hautes vagues sans chavirer. Dans des eaux comme celles-ci, les sauveteurs doivent être d'excellents nageurs, assez forts pour résister aux courants puissants et aux vagues immenses, pour secourir les personnes en danger.

**WARNING**
DANGEROUS CONDITIONS INCLUDE:

DANGEROUS SHOREBREAK    STRONG CURRENT    HIGH SURF

**SWIM AT YOUR OWN RISK**

OCEAN CONDITIONS MAY CAUSE SERIOUS BODILY INJURY, PARALYSIS OR DEATH
DEPARTMENT OF PARKS AND RECREATION
COUNTY OF MAUI

**MISE EN GARDE**
Sur les plages très fréquentées par les nageurs et les surfeurs, des panneaux mettent en garde contre les courants puissants et les fortes vagues.

**SUR LA PLAGE**
Après avoir ramené un blessé sur le rivage, le sauveteur lui prodigue les premiers soins. Il peut s'agir, par exemple, de l'allonger sur le côté afin de lui faire recracher l'eau qui se trouve dans ses poumons. Le maître nageur peut également pratiquer le bouche à bouche pour ranimer la personne inconsciente ou encore panser ses plaies. En cas de nécessité, le blessé sera transporté à l'hôpital.

*Le drapeau vert signifie que la baignade est autorisée et surveillée.*

**LA TÊTE HORS DE L'EAU**
Lorsqu'on porte secours à une personne qui se noie, il est essentiel de lui maintenir la tête hors de l'eau pendant qu'on la ramène vers le rivage, ceci pour lui éviter d'avaler de l'eau. Le maître nageur doit donc avoir de la force, car souvent un noyé se débat sous l'effet de la panique et il peut mettre son sauveteur en danger.

**NAGER EN SÉCURITÉ**
Sur les plages surveillées, des drapeaux de couleurs différentes indiquent si la baignade est autorisée (vert), déconseillée (orange) ou interdite (rouge).

*Le sauveteur tient fermement la rame.*

*Le maître nageur a passé son bras autour de la poitrine du noyé.*

*Casque de protection*

*La personne en danger tient la rame à deux mains jusqu'à ce qu'on la hisse à bord du canot.*

**AIDE À DISTANCE**
Si quelqu'un tombe à l'eau dans une piscine, un port, un lac ou dans toute autre étendue d'eau calme, comme une rivière ou un canal, il est parfois possible de le secourir sans entrer dans l'eau. Le sauveteur peut lui tendre une rame, un long bâton, ou tout objet similaire qui permettra à la personne en danger de s'y accrocher, pour être ensuite hissée à bord.

**DROIT VERS LE DANGER**
Dans les stations balnéaires, les jet-skis, ces engins très rapides à moteur devenus très populaires, ne peuvent plus être loués maintenant sans présentation d'un permis bateau. En effet, en évoluant en infraction dans des zones de baignade, des pilotes inexpérimentés ont provoqué de nombreux accidents.

**DEHORS PAR TOUS LES TEMPS**
Une mer déchaînée n'est pas un obstacle pour ce type de bateau. S'il chavire, il se redressera automatiquement. Ce bateau peut évoluer dans des eaux peu profondes ou s'aventurer jusqu'à 80 km des côtes à une vitesse de 33 km/h. Il peut prendre jusqu'à 78 naufragés à son bord.

# LES SECOURS PRÈS DES CÔTES

Dès qu'elles reçoivent un appel de détresse d'une embarcation, les équipes de sauveteurs en mer réagissent. Des bateaux sont amarrés près du poste de secours, d'autres mouillent au large. Tandis qu'ils foncent vers les lieux du drame, les sauveteurs restent en contact par radio avec l'embarcation en difficulté et les autres services de secours. Les secouristes maritimes et aériens travaillent en étroite coopération dans les zones côtières. Les hélicoptères évacuent rapidement les victimes, mais les sauveteurs en mer peuvent agir plus efficacement pour secourir des marins blessés et récupérer des bateaux endommagés.

*Corde pour porter la civière*

*Sangle pour attacher le blessé*

**LA CIVIÈRE**
Des civières spécialement adaptées sont nécessaires pour transporter les personnes ayant des membres brisés ou blessées à la colonne vertébrale.

*Repose-tête*

*Gaffe*

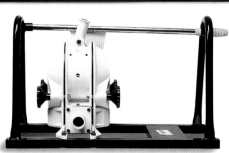

Pompe pour évacuer l'eau

Dispositif « lanceur de corde »

Gilet de sauvetage

**LE MATÉRIEL INDISPENSABLE**
Un bateau de sauvetage est équipé pour faire face à toutes les situations. La pompe manuelle sert à évacuer l'eau qui s'est engouffrée dans l'embarcation. Les sauveteurs utilisent des gaffes pour ramener vers leur bateau une petite embarcation ou une personne tombée à l'eau. Si un naufragé a dérivé plus loin, un « lanceur » peut propulser une corde jusqu'à 230 m de distance. Les sauveteurs lancent aux naufragés des gilets de sauvetage pour les aider à flotter en attendant d'être secourus.

**PETIT ET RAPIDE**
Pour les opérations de secours près des côtes, les sauveteurs utilisent un canot gonflable rigide de type Zodiac. Cette embarcation peut évoluer à proximité des rochers et dans les eaux peu profondes sans s'échouer et se déplace à une vitesse de 54 km/h.

*Coussin gonflable pour redresser le canot s'il se renverse*

*Casque de protection*

*Tableau de bord*

*Les naufragés peuvent s'accrocher à cette corde.*

*Réflecteur du radar*

*Coque en plastique*

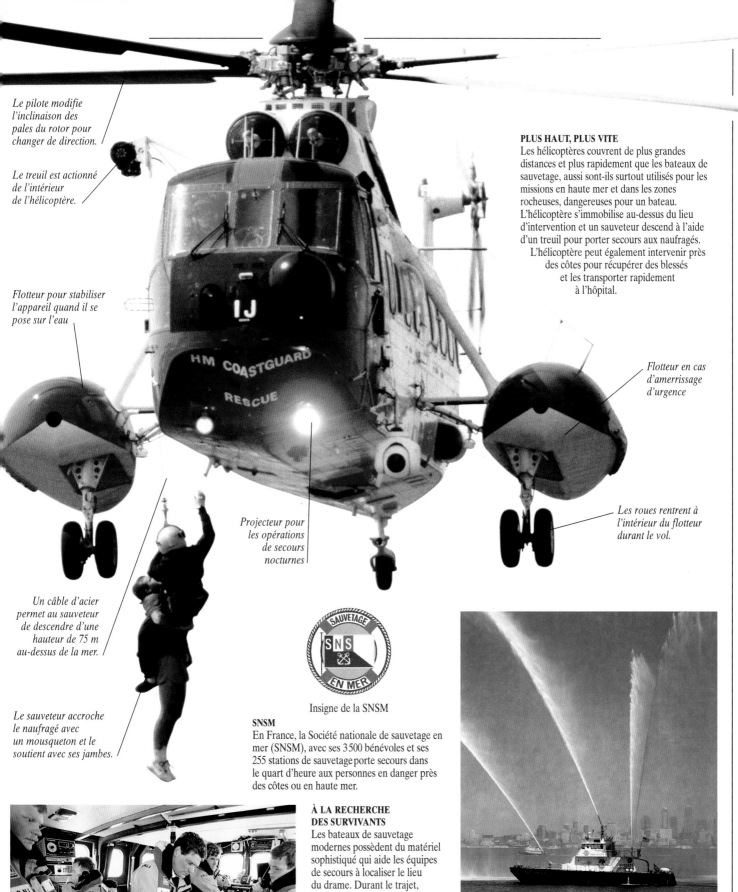

Le pilote modifie l'inclinaison des pales du rotor pour changer de direction.

Le treuil est actionné de l'intérieur de l'hélicoptère.

Flotteur pour stabiliser l'appareil quand il se pose sur l'eau

Un câble d'acier permet au sauveteur de descendre d'une hauteur de 75 m au-dessus de la mer.

Le sauveteur accroche le naufragé avec un mousqueton et le soutient avec ses jambes.

Projecteur pour les opérations de secours nocturnes

**PLUS HAUT, PLUS VITE**
Les hélicoptères couvrent de plus grandes distances et plus rapidement que les bateaux de sauvetage, aussi sont-ils surtout utilisés pour les missions en haute mer et dans les zones rocheuses, dangereuses pour un bateau. L'hélicoptère s'immobilise au-dessus du lieu d'intervention et un sauveteur descend à l'aide d'un treuil pour porter secours aux naufragés. L'hélicoptère peut également intervenir près des côtes pour récupérer des blessés et les transporter rapidement à l'hôpital.

Flotteur en cas d'amerrissage d'urgence

Les roues rentrent à l'intérieur du flotteur durant le vol.

Insigne de la SNSM

**SNSM**
En France, la Société nationale de sauvetage en mer (SNSM), avec ses 3 500 bénévoles et ses 255 stations de sauvetage porte secours dans le quart d'heure aux personnes en danger près des côtes ou en haute mer.

**À LA RECHERCHE DES SURVIVANTS**
Les bateaux de sauvetage modernes possèdent du matériel sophistiqué qui aide les équipes de secours à localiser le lieu du drame. Durant le trajet, les hommes, formés pour calculer leur itinéraire sur une carte et utiliser du matériel de communication et de navigation hautement perfectionné, restent en contact avec le bateau en difficulté et avec d'autres services d'intervention, en cas de besoin.

**BATEAU-POMPE**
Quand un incendie survient près d'un port ou à bord d'un bateau à quai, les secours font appel à un bateau-pompe. Profitant d'une réserve d'eau inépuisable, il peut projeter quelque 34 000 litres d'eau par seconde, soit cinq fois plus qu'un gros camion de pompiers. Le bateau possède également des réservoirs de mousse pour lutter contre les feux de pétrole.

# LE SAUVETAGE EN HAUTE MER

Lors d'une tempête en mer, des vagues gigantesques s'abattent sur les ponts des navires. Même très endommagé, un bateau est un lieu sûr qui offre un abri, des vivres, du matériel de secours et une radio, permettant d'envoyer régulièrement des messages et d'espérer alerter un bateau ou les secours en mer. Quand il est trop dangereux de rester à bord, le capitaine ordonne d'abandonner le navire. Les passagers enfilent des gilets de sauvetage et emportent du matériel de survie, des vivres et de l'eau potable à bord des canots de sauvetage. Si le bateau chavire, les personnes tombées dans une mer déchaînée risquent de se noyer. Mais une mer calme peut être tout aussi dangereuse, car le froid et la fatigue engourdissent vite les corps immergés trop longtemps.

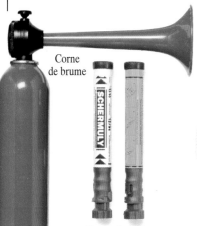

Corne de brume

Fusées de détresse

### À LA RESCOUSSE
Le navigateur anglais Pete Goss venait juste d'affronter un ouragan en plein océan Antarctique, au cours du Vendée Globe Challenge de 1996-1997, lorsqu'il capta un appel de détresse. Il fit alors demi-tour pour porter secours à son camarade et concurrent, le Français Raphaël Dinelli, qui s'accrochait désespérément à un canot de sauvetage.

### LE GOSIER SEC
Perdus au milieu d'un océan d'eau qu'ils ne peuvent pas boire, parce que trop salée, les naufragés risquent de souffrir avant tout de déshydratation. C'est pourquoi la plupart des canots de sauvetage sont munis de poches d'eau potable, qu'il faut rationner soigneusement, jusqu'à l'arrivée des secours.

### ON EST LÀ !
Les marins à bord d'un navire en difficulté envoient des fusées de détresse dans le ciel afin de guider les secours jusqu'à eux. La corne de brume, de son côté, produit un bruit strident qui signale aux autres bateaux la présence d'une embarcation, même dans l'obscurité ou le brouillard.

### BOUÉE DE SAUVETAGE
Les ponts des bateaux sont équipés de bouées que l'on peut lancer aux personnes tombés à l'eau. Ces bouées sont faites d'un anneau de liège recouvert de toile, et un bout permet de les attraper plus facilement. Le naufragé flotte ainsi sans se fatiguer.

### SIGNAUX DE DÉTRESSE
Durant des siècles, avant l'invention de la radio, des drapeaux fixés aux mâts des navires servaient à transmettre des messages aux autres bateaux ; ce système est toujours en vigueur aujourd'hui. Chaque drapeau possède une signification spécifique ; il est également possible d'envoyer un message précis en utilisant une combinaison de drapeaux.

« Feu à bord, gardez vos distances. »

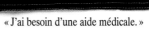

« J'ai besoin d'une aide médicale. »

### ALERTE AUX ICEBERGS

En 1912, la conception nouvelle du *Titanic* était censée le rendre insubmersible, c'est pourquoi les canots de sauvetage ne pouvaient accueillir que la moitié des passagers. Hélas, au cours du voyage inaugural, le navire entra en collision avec un iceberg et sombra. Les deux opérateurs du télégraphe envoyèrent des messages de détresse aux bateaux présents dans cette zone mais, lorsque le *Carpathia* arriva à la rescousse, il ne restait que 706 survivants sur les 2 223 passagers du *Titanic*.

*Conduit de ventilation et d'observation*

### CANOT GONFLABLE

Les bateaux doivent transporter suffisamment de canots pour accueillir tous les passagers. Conçus pour flotter dans les mers les plus grosses, ces embarcations peuvent avoir la forme de barques rigides ou de petits canots gonflables. La plupart sont équipées de matériel d'urgence, de vivres et d'une bâche pour protéger les naufragés du soleil brûlant, des vents glacés ou de la pluie.

« Un homme à la mer »

Canot pour quatre personnes

## UNE MONTAGNE IMPRÉVISIBLE

Une randonnée en montagne peut devenir périlleuse si le brouillard se lève tout à coup : des marcheurs mal équipés risquent de se perdre et de s'aventurer dans des zones plus dangereuses. Les véritables alpinistes sont entraînés et mieux équipés, mais cela n'empêche pas les accidents. Le ski, lui aussi, n'est pas sans risque et on ne compte plus les membres brisés. Quant au ski hors-piste, il est extrêmement dangereux, car la neige épaisse peut masquer des pièges mortels ou provoquer une avalanche. En montagne, les plus grands dangers sont liés aux conditions météorologiques extrêmes (avalanches, tempêtes de neige, pluies torrentielles et brouillard épais) fréquentes. Les équipes de secours doivent souvent intervenir dans des situations très difficiles.

*Plaque de poste de secours*

*Galerie permettant de transporter du matériel lourd*

**DES ÉQUIPES ENTRAÎNÉES**
En France, la sécurité en montagne est assurée par les pelotons de gendarmerie de haute montagne (PGHM). Les équipes d'intervention ont une parfaite connaissance du terrain et une formation spécifique. Dans d'autres pays, comme les Etats-Unis, les stations de ski ont leurs propres équipes de secours. Les sauveteurs conduisent leur véhicule le plus près possible de l'accident, puis ils déchargent leur matériel et continuent à pied.

*Antenne radio*

**LES AVALANCHES**
Sur une pente raide recouverte de neige, une rafale de vent, un grand bruit ou un simple mouvement risquent de déclencher une avalanche de neige, de glace et de pierre qui peut dévaler la montagne à plus de 300 km/h ; il est alors impossible d'y échapper. En hiver, la neige fraîche glisse parfois sur des couches de neige plus ancienne, plus compacte, alors que le dégel du printemps peut provoquer le glissement de tout le manteau neigeux.

*Treuil*

## MATÉRIEL D'ESCALADE

Les sauveteurs sont appelés à gravir des parois raides et glacées, ou à descendre dans une crevasse étroite pour venir en aide à des personnes en difficulté. Un matériel composé de cordes, d'échelles et de piolets à glace est indispensable pour ce type d'opération.

*Piolet utilisé*
*sur les glaciers*

*Echelle souple*
*en acier inoxydable*

*Corde*
*en Nylon*
*extensible*

## LE POIDS DE LA NEIGE

Une avalanche est parfois très destructrice : elle déracine les arbres et broie les maisons sur son passage. Dans les zones habitées où les routes et les constructions se trouvent dans des couloirs d'avalanches potentielles, les spécialistes de la sécurité provoquent parfois des mini-avalanches contrôlées, afin de faire tomber des masses de neige instables et d'éviter de grosses avalanches.

## DES SECOURS VENUS DU CIEL

L'hélicoptère est le moyen le plus rapide et le plus efficace pour évacuer une personne blessée en montagne ou pour déposer une équipe de secouristes. Il est largement utilisé par les gendarmes en France. Toutefois, les hélicoptères ne peuvent être utilisés quand il y a trop de vent, trop de brouillard, trop de neige ou quand les rotors risquent de provoquer une avalanche.

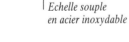

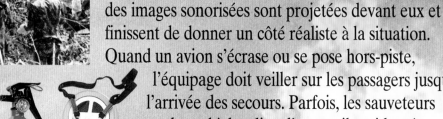

# L'ASSISTANCE AUX AVIONS

Les accidents aériens sont dus à des causes météorologiques ou à des défaillances humaines ou techniques. Les accidents les plus dangereux se produisent au décollage quand les réservoirs de l'avion sont pleins de carburant inflammable. Lors de leur formation, les pilotes apprennent à réagir en cas d'urgence. À bord d'un simulateur de vol installé sur des vérins hydrauliques, qui donne une sensation de mouvement réaliste, les pilotes apprennent à réagir ; des images sonorisées sont projetées devant eux et finissent de donner un côté réaliste à la situation. Quand un avion s'écrase ou se pose hors-piste, l'équipage doit veiller sur les passagers jusqu'à l'arrivée des secours. Parfois, les sauveteurs ont du mal à localiser l'appareil accidenté : le contact radio a été interrompu, le pilote a été tué ou l'équipage ne connaît pas sa position exacte.

## UN ATTERRISSAGE DANS LA JUNGLE

En 1989, un Boeing 737 venant de Sao Paulo, au Brésil, fut victime d'une panne de carburant au-dessus de la jungle amazonienne. Le pilote heurta la cime des arbres, les branches amortirent son atterrissage de fortune et 41 des 54 passagers survécurent. Quand les secours les retrouvèrent quatre jours plus tard, les rescapés souffraient uniquement de la soif, des piqûres et des morsures d'insectes.

Gilet de sauvetage

Extincteur

Masque à oxygène

Combinaison renvoyant la chaleur

## LA PROTECTION DES PASSAGERS

Les avions sont munis de nombreux équipements de sécurité pour faire face à divers problèmes comme la dépressurisation, les atterrissages forcés et le feu. Tous les passagers disposent d'un gilet de sauvetage sous leur siège et d'un masque à oxygène qui tombe automatiquement du plafond devant eux. En cas d'amerrissage, des canots pneumatiques se gonflent rapidement.

## DES VÊTEMENTS DE PROTECTION

Les pompiers des aéroports portent des tenues spéciales qui les protègent des flammes et de la fumée, souvent intenses. Ce membre d'une brigade de pompiers américains est vêtu d'une combinaison ignifugée et muni d'un masque à oxygène. Ces hommes s'entraînent à faire face à tous les types d'accidents susceptibles de survenir.

Corde multi-usages

Couverture ignifugée

Extincteur

Boîte à outils

*Embout pour asperger de l'eau*

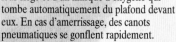

## EMBOUTS SPÉCIAUX

Les pompiers peuvent choisir entre différents types d'embouts pour leurs lances, en fonction de la nature du feu.

*Embout spécial pour lutter contre les incendies d'hydrocarbures*

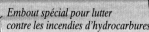

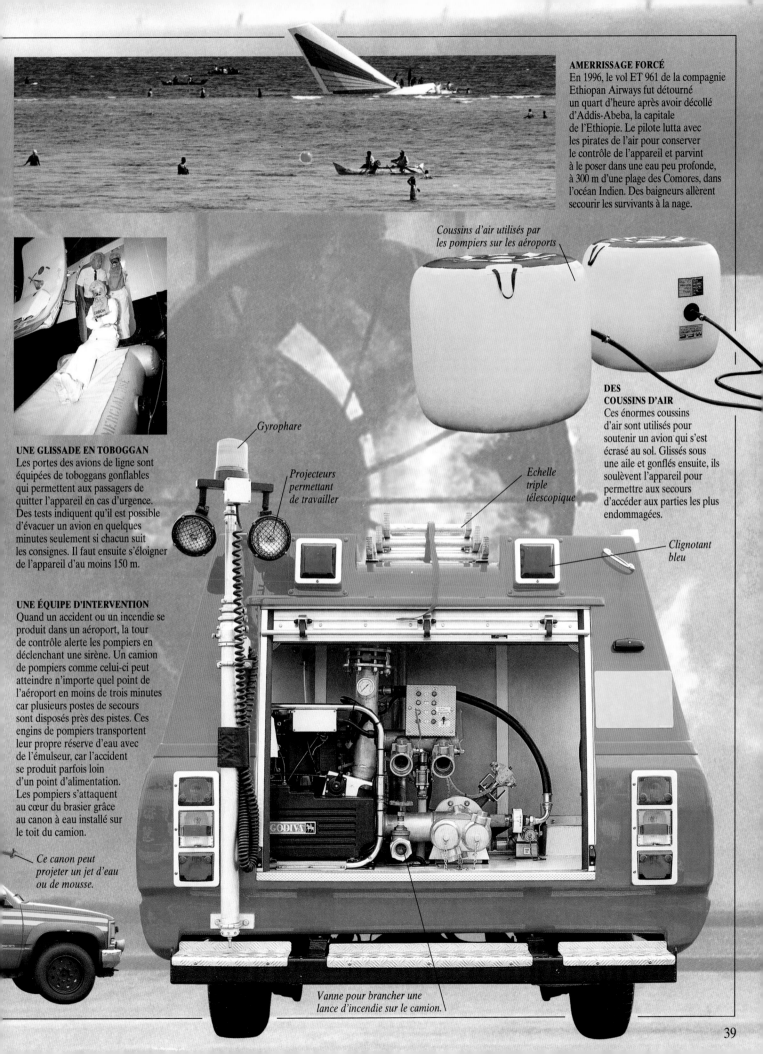

## AMERRISSAGE FORCÉ

En 1996, le vol ET 961 de la compagnie Ethiopan Airways fut détourné un quart d'heure après avoir décollé d'Addis-Abeba, la capitale de l'Ethiopie. Le pilote lutta avec les pirates de l'air pour conserver le contrôle de l'appareil et parvint à le poser dans une eau peu profonde, à 300 m d'une plage des Comores, dans l'océan Indien. Des baigneurs allèrent secourir les survivants à la nage.

*Coussins d'air utilisés par les pompiers sur les aéroports*

## DES COUSSINS D'AIR

Ces énormes coussins d'air sont utilisés pour soutenir un avion qui s'est écrasé au sol. Glissés sous une aile et gonflés ensuite, ils soulèvent l'appareil pour permettre aux secours d'accéder aux parties les plus endommagées.

## UNE GLISSADE EN TOBOGGAN

Les portes des avions de ligne sont équipées de toboggans gonflables qui permettent aux passagers de quitter l'appareil en cas d'urgence. Des tests indiquent qu'il est possible d'évacuer un avion en quelques minutes seulement si chacun suit les consignes. Il faut ensuite s'éloigner de l'appareil d'au moins 150 m.

## UNE ÉQUIPE D'INTERVENTION

Quand un accident ou un incendie se produit dans un aéroport, la tour de contrôle alerte les pompiers en déclenchant une sirène. Un camion de pompiers comme celui-ci peut atteindre n'importe quel point de l'aéroport en moins de trois minutes car plusieurs postes de secours sont disposés près des pistes. Ces engins de pompiers transportent leur propre réserve d'eau avec de l'émulseur, car l'accident se produit parfois loin d'un point d'alimentation. Les pompiers s'attaquent au cœur du brasier grâce au canon à eau installé sur le toit du camion.

*Ce canon peut projeter un jet d'eau ou de mousse.*

*Gyrophare*

*Projecteurs permettant de travailler*

*Echelle triple télescopique*

*Clignotant bleu*

*Vanne pour brancher une lance d'incendie sur le camion.*

# L'AIDE INTERNATIONALE

Quand un désastre, comme la famine, des
inondations ou la
sécheresse, frappe un pays,
des équipes du monde
entier se rendent sur
place pour secourir la
population. Elles apportent de la nourriture,
de l'eau potable, des soins et des abris. Ensuite,
les associations caritatives acheminent
des semences, du matériel de construction
et d'autres équipements. Les gouvernements
d'autres pays fournissent de l'aide, mais une
grande partie provient des organisations
non gouvernementales (ONG), comme la
Croix-Rouge ou Médecins Sans Frontières,
qui fonctionnent grâce à des volontaires et
à des dons privés. Même les groupes
d'inspiration religieuse, comme le Caritas, ou
politique, comme le Secours populaire, essaient
de rester indépendants. L'aide fournie par un
gouvernement étranger risque parfois d'être
déterminée par ses opinions et il peut décider de
ne soutenir qu'un seul camp lors d'une guerre.

*Ces gens attendent
leur ration
alimentaire dans un
camp de réfugiés au
Soudan, en 1991.*

**LA LUTTE CONTRE LA FAMINE**
Dans les régions les plus arides du globe, chaque goutte d'eau est vitale. Quand la
sécheresse survient, les récoltes périssent, les stocks de nourriture s'épuisent et les
gens meurent de faim. Les pays pauvres frappés par la sécheresse se tournent vers
l'aide internationale pour leur fournir et leur distribuer de la nourriture et de l'eau
là où elles font cruellement défaut.

**LA CROIX-ROUGE**
Après qu'un raz de marée s'était abattu sur
la Papouasie-Nouvelle-Guinée en 1997, l'eau
potable vint à manquer. La Croix-Rouge creusa
alors des puits afin que les femmes puissent avoir accès
à l'eau sans avoir à marcher toute la journée. La
Croix-Rouge fut fondée en 1863 par Henri Dunant à
la suite de la bataille de Solférino (1859) pour s'occuper
des soldats blessés mais, aujourd'hui, elle fournit une
aide humanitaire dans toutes sortes de circonstances.

*Déminage
au Cambodge*

**LES MINES ANTIPERSONNEL**
Même quand une guerre est finie, les mines enfouies durant le conflit continuent à tuer
et à estropier des gens, il faut donc les enlever avec précaution. Des organisations
comme Handicap International les détectent et les retirent afin que les habitants
retrouvent une vie presque normale, sans craindre d'être tués ou blessés.

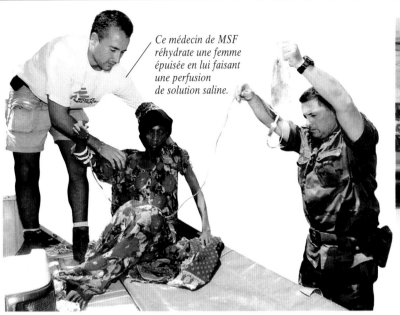

*Ce médecin de MSF réhydrate une femme épuisée en lui faisant une perfusion de solution saline.*

## LES FORCES DE PAIX

Créée en 1945 pour maintenir la paix dans le monde, l'Organisation des Nations unies (ONU) est financée par la plupart des Etats du monde. Quand un conflit éclate ou qu'une guerre menace, l'ONU envoie des troupes pour protéger les civils. Les « casques bleus » de l'ONU se déplacent dans des véhicules bien identifiables.

## LES MÉDECINS SANS FRONTIÈRES

Dans les cas d'urgence (famines, inondations, guerres, catastrophes naturelles ou épidémies), les membres de Médecins Sans Frontières (MSF), la plus grande organisation mondiale de secours médical, sont parmi les premiers à arriver sur place. Nous voyons ici un médecin de MSF soigner une femme obligée de quitter sa maison après de terribles inondations au Mozambique en mars 2000.

## EN ROUTE VERS UN LIEU SÛR

Les réfugiés, ici des Tutsis épuisés, victimes de la guerre tribale au Rwanda en 1994, sont obligés de quitter leurs maisons, à cause de la famine, des inondations, de la guerre et des persécutions. Les organisations, comme la Croix-Rouge et l'ONU, montent des camps où les rescapés peuvent s'installer en attendant de retrouver une vie normale.

*Les réfugiés emportent leurs biens, à la recherche d'un lieu sûr où s'installer.*

# LES ANIMAUX À LA RESCOUSSE

Très intelligents, faciles à dresser et dotés d'un formidable flair, les chiens sont indispensables à de nombreuses équipes de secours. Au XVIIe siècle, les moines commencèrent à utiliser des saint-bernard pour sauver les personnes égarées dans la montagne. Au cours de la Seconde Guerre mondiale, les chiens servaient à localiser les gens bloqués sous les décombres des immeubles bombardés. Aujourd'hui, ils repèrent les survivants après une avalanche ou un tremblement de terre. Certains animaux participent à des opérations de prévention (ci-contre). D'autres sont choisis en fonction de leurs caractéristiques, comme les pigeons voyageurs qui, dès le Moyen Âge, transmettaient des messages. Les animaux les plus héroïques sont peut-être ceux qui risquent leur vie pour sauver leur maître.

Saint-bernard

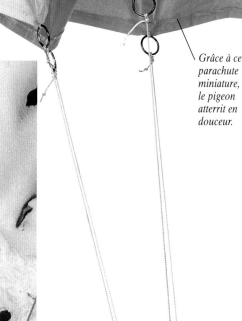

*Grâce à ce parachute miniature, le pigeon atterrit en douceur.*

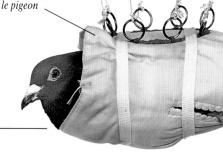

*L'oiseau est relié au parachute par de fins câbles.*

*Corset rembourré pour protéger le pigeon*

**UNE POSTE AÉRIENNE**
En temps de guerre, lorsqu'il n'existe aucun autre moyen de communication, les pigeons peuvent transporter des messages importants au milieu des bombes et des tirs d'artillerie. Durant la Seconde Guerre mondiale, des oiseaux destinés à des espions anglais furent ainsi parachutés au-dessus de la France. Ils rentraient ensuite chez eux en volant, porteurs de messages secrets contenus dans de petits tubes fixés à leurs pattes.

**ENFOUIS SOUS LA NEIGE**
Après une avalanche, les sauveteurs et leurs chiens cherchent les survivants ensevelis sous la neige. Grâce à son flair très développé, un chien peut inspecter une vaste zone, alors qu'il faudrait vingt personnes pour effectuer la même tâche. Les races les plus utilisées pour ce travail sont le berger allemand, le labrador et le border collie.

**DAUPHINS SAUVETEURS**
Les vieilles légendes extraordinaires
où des dauphins sauvent des personnes
en train de se noyer et escortent des bateaux
en difficulté contiennent une part
de vérité. A des époques plus récentes,
on a signalé le cas de dauphins poussant
des noyés vers la surface de l'eau afin
qu'ils puissent respirer et tournoyant
autour d'un naufragé qui s'agrippait
à une épave, comme pour
l'empêcher de s'endormir.

Sauveteur
sur le lieu
du tremblement
de terre de 1985,
à Mexico

Ce chien cherche
des survivants
parmi les
décombres.

**LES ANIMAUX DONNENT L'ALARME**
Les animaux annoncent généralement l'imminence d'une
catastrophe naturelle en se comportant de manière étrange. Ces
derniers temps, des scientifiques chinois ont essayé de trouver une
méthode pour détecter les tremblements de terre en observant le
comportement des animaux. En 1975, ils ont ainsi prédit un séisme
à Haicheng en voyant des serpents sortir de leur état d'hibernation
et des rats s'affoler. Douze heures seulement après l'évacuation de
la ville, celle-ci fut détruite par un puissant tremblement de terre.

**DES RECHERCHES
DANS LES DÉCOMBRES**
Ce chien spécialement dressé flaire
les survivants sous les décombres
d'un immeuble détruit par un séisme.
Après un tremblement de terre ou
une explosion, les ruines des constructions
sont parfois instables, il peut également
y avoir des fuites de gaz et des éclats de verre.
Malgré tous ces dangers, les chiens
se déplacent avec légèreté parmi les décombres
pour localiser les survivants.

Médaille
décernée
par la
SPA
britan-
nique

**DES ANIMAUX DÉCORÉS**
Des œuvres de bienfaisance comme la Société
protectrice des animaux (SPA) décernent
des médailles aux animaux qui ont fait preuve
de courage. Ils ont sauvé des gens des flammes
ou les ont empêchés de se noyer, ils ont aboyé
pour prévenir leur maître d'un danger,
un incendie ou une fuite de gaz, certains ont
même détecté un changement dans le rythme
respiratoire d'un bébé, un problème médical.

# PENDANT LA GUERRE, LES SOINS

Pendant un conflit militaire, chacun est une victime potentielle, et les opérations de secours se succèdent. Les soldats et les civils blessés par des balles, des bombes, des obus ou des armes chimiques doivent être rapidement évacués en lieu sûr et soignés. Certains peuvent se retrouver pris au piège derrière les lignes ennemies, capturés et envoyés dans des camps de prisonniers. Dans ces cas-là, la convention internationale de Genève prévoit qu'ils doivent être également soignés. Des services qui nous paraissent aujourd'hui banals, comme les ambulances, ont vu le jour en temps de guerre. Les terribles blessures et maladies dont furent victimes les soldats ont favorisé d'importants progrès dans le domaine de la médecine : les antibiotiques pour lutter contre les infections ou la chirurgie plastique pour le traitement des brûlés.

**DES CHIENS-SOLDATS**
Des chiens ont été spécialement entraînés pour jouer un rôle vital, et parfois offensif, sur les champs de bataille. Le chien sort des tranchées, flaire les corps pour chercher des signes de vie et s'allonge à côté du soldat blessé en attendant que les secours viennent le chercher. Un bon chien-soldat doit rester calme, malgré les coups de feu et les explosions.

**LE COURAGE RÉCOMPENSÉ**
Les gouvernements accordent des médailles aux soldats, aux hommes et aux femmes qui ont risqué leur vie et agi avec courage, au-delà de leur simple devoir.

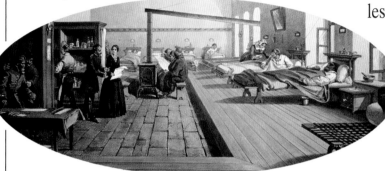

**LA DAME À LA LAMPE**
Quand Florence Nightingale (1820-1910) arriva à l'hôpital de Scutari en Turquie, durant la guerre de Crimée (1854-1855), l'endroit était sale, infesté de rats, et les patients avaient une chance sur trois de mourir. En quelques mois, Nightingale et son équipe de 38 infirmières instaurèrent une meilleure hygiène, une meilleure nourriture, plus de calme, et le taux de mortalité chuta à 1 personne sur 40.

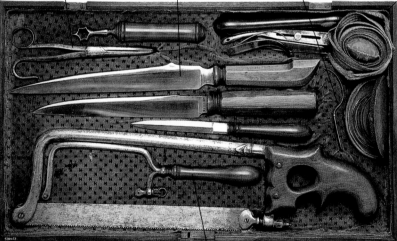

*Forceps*    *Grand couteau pour couper les muscles*    *Aiguille pour suturer*

Trousse d'amputation du XVIIIe siècle    *Petite scie pour amputer les doigts et les orteils*

**PASSE-MOI LA SCIE !**
Pendant des siècles, les membres grièvement atteints étaient amputés avant que l'infection menace la vie du blessé. Les moignons étaient soignés avec de la poix chaude (un dérivé du goudron), puis cautérisés (cicatrisés) avec des fers chauds, pour arrêter l'hémorragie. Le chirurgien français Ambroise Paré (1509-1590) améliora le taux de survie en remplaçant la poix par un onguent à base de jaune d'œuf et de térébenthine et en ligaturant les veines sectionnées, au lieu de les cautériser.

*Avion-cargo*
*quadrimoteur américain*

## UN PONT AÉRIEN

La plus grande mission de secours aérien se déroula après la Seconde Guerre mondiale. En 1948, l'Union soviétique coupa toutes les routes, les voies ferrées et fluviales avec Berlin-Ouest en riposte aux forces alliées occidentales (les Etats-Unis, la France et la Grande-Bretagne) qui venaient d'unifier leurs trois secteurs. Durant onze mois, des avions se posèrent à Berlin-Ouest pour apporter 2 millions de tonnes de produits de première nécessité à la population, jusqu'à ce que le blocus soit finalement levé.

### DES AMBULANCES SUR LES CHAMPS DE BATAILLE

Les premières ambulances étaient de simples carrioles transportant les civières, sans personnel médical pour soigner les blessés. En 1797, au cours de la campagne d'Italie menée par Bonaparte, le chirurgien militaire français Dominique Jean Larrey (1766-1842) introduisit les « ambulances volantes », des voitures rapides, légères, tirées par un seul cheval, qui fonçaient sur le champ de bataille pour récupérer les blessés et les conduire à l'hôpital.

Ambulance de la Première Guerre mondiale, tirée par un cheval

## OPÉRATION « DYNAMO »

Après l'armistice de juin 1940, les troupes françaises et anglaises se retrouvèrent encerclées par l'armée allemande sur les plages des environs de Dunkerque, dans le Nord. Sous la garde de l'amiral Ramsey, plus de 1 000 embarcations pilotées par des civils traversèrent la Manche pour venir sauver 344 000 hommes. Certains bateaux ramenèrent les troupes jusqu'en Angleterre, en évitant les mines et les tirs de l'aviation. D'autres transportèrent les soldats jusqu'à des navires ancrés au large.

## DES AMBULANCES AÉRIENNES

Les hélicoptères équipés comme des hôpitaux de campagne et transportant du personnel médical expérimenté furent utilisés pour la première fois par l'armée américaine durant la guerre du Vietnam (1962-1975). En temps de guerre, les hélicoptères sont des véhicules de secours essentiels du fait de leur grande maniabilité. Ils se posent sur des terrains très courts et récupèrent ainsi des soldats blessés ou pris au piège derrière les lignes ennemies.

# LES CATASTROPHES NATURELLES

Tempêtes, blizzards, inondations, glissements de terrain, raz de marée… les forces de la nature frappent parfois sans prévenir, semant la dévastation et la mort sur leur passage. Certaines régions vivent en permanence sous leur menace. Les pouvoirs publics réagissent en déclarant la zone sinistrée : l'état d'urgence est proclamé dans la région touchée et des secours sont envoyés sur place. Très souvent, des gens sont blessés ou tués lors de ces catastrophes, et un grand nombre d'entre eux se retrouvent sans toit. L'électricité, l'eau et le téléphone sont coupés ; les vivres, le carburant et autres produits indispensables viennent à manquer. Dans ces zones à risques, des mesures préventives de protection peuvent limiter les dégâts, comme des barrières anti-inondations ou des abris antitempête, ou en prévenant les populations lorsque c'est possible.

**LES VENTS TOURBILLONNANTS**
Les tornades surgissent de manière soudaine et imprévisible, c'est pourquoi dans les zones à risques, comme le centre des Etats-Unis, les maisons sont construites sur des caves antitempête. La meilleure façon de se protéger, c'est de se réfugier dans une cave ou au centre d'une maison, avec le maximum de murs entre soi et l'extérieur. Ci-dessus une scène de destruction typique après le passage d'une tornade.

**VU DU CIEL**
Sur ce cliché pris par satellite, on voit nettement les vents tourbillonnants qui entourent le centre du typhon Pat qui a frappé l'est du Pacifique en 1985. Les scientifiques suivent la progression de ces cyclones (autre nom d'un typhon) grâce à des satellites météo sophistiqués, afin d'alerter les habitants plusieurs jours à l'avance.

*L'hélicoptère met un survivant en lieu sûr.*

**UN OCÉAN DE BOUE**
Quand le volcan Nevado del Ruiz situé en Colombie entra en éruption en 1985, une coulée de boue, de neige, de pierres et de cendres balaya la ville d'Amero, à la vitesse de 35 km/h. On fit appel à des équipes médicales, aux pompiers, à l'armée, aux forces aériennes et à des spécialistes du monde entier pour libérer les survivants des vagues de boue et de débris qui les emprisonnaient comme du ciment frais.

**DE L'EAU, TROP D'EAU…**
Une pluie torrentielle, la fonte des glaces, un barrage qui cède ou une tempête en mer peuvent faire déborder des cours d'eau ou projeter des vagues immenses sur les côtes. De violentes inondations sont capables de balayer des maisons et des véhicules, tandis que les égouts débordent. Des hélicoptères et des bateaux recherchent alors les survivants, comme ici, au Mozambique, ces gens réfugiés sur le toit d'une maison.

**LES BOMBARDIERS À EAU**
Pour lutter contre un feu de forêt, le Canadair remplit ses gigantesques réservoirs avec l'eau de la mer ou d'un lac, puis il survole les flammes à basse altitude (environ 30 m) pour larguer son chargement. On ajoute parfois un produit chimique coloré à l'eau pour éviter qu'elle se disperse sous forme de brume et pour indiquer au pilote les zones qu'il a déjà « bombardées ».

*Eau colorée*

**D'ORAGE ET DE VENT**
En 1992, quand le cyclone Andrew s'abattit sur Miami, aux Etats-Unis, plus d'un million de personnes obligées de quitter la région se retrouvèrent sur les routes. Grâce aux avertissements des météorologues, la plupart des gens étaient préparés à affronter cette catastrophe et les associations d'entraide avaient dressé des abris pour les personnes privées de toit.

**LES FEUX DE FORÊT**
Durant les étés secs et chauds, dans le sud de la France, le sud-est de l'Australie et la Californie aux Etats-Unis, les feux de forêt sont une menace constante pour les hommes, la faune et la flore. L'incendie peut être d'origine naturelle (la foudre, un amoncellement de végétation pourrie qui s'enflamme tout seul), ou criminelle (une allumette, un mégot de cigarette jetés négligemment). Les flammes se propagent alors dans les broussailles et vont d'arbre en arbre, à une vitesse pouvant atteindre 160 km/h.

**LES SAUTEURS DE FUMÉE**
Dans des zones forestières isolées, de courageux pompiers baptisés *smokejumpers*, littéralement « ceux qui sautent dans la fumée », sont parachutés au milieu des flammes. A l'aide de pelles et de scies, ils ouvrent un chemin tout autour du feu pour l'isoler, en attendant l'arrivée des équipes terrestres. Un *smokejumper* peut parfois creuser des tranchées pendant dix-huit heures, avant d'être contraint de fuir devant la force et la chaleur du brasier.

# APRÈS UN TREMBLEMENT DE TERRE

Lors d'un puissant séisme, le sol tremble, les immeubles s'écroulent et de profondes fissures apparaissent à la surface de la terre. Les vibrations se propagent à partir de l'épicentre, perdant peu à peu de leur intensité. Des survivants peuvent rester bloqués pendant des jours, blessés ou inconscients, sous les décombres. Même s'ils ne sont pas blessés, ils sont menacés par la déshydratation, qui peut entraîner la mort. Alors que les habitants fuient le lieu du séisme, les équipes de secours s'y précipitent. Elles livrent une course contre la montre pour localiser et extraire les victimes. Des bâtiments endommagés risquent de s'écrouler à chaque instant, de nouvelles secousses peuvent provoquer d'autres dégâts et des fuites de gaz créer des incendies. Les sauveteurs doivent prendre d'immenses précautions pour ne pas mettre leur propre vie en danger.

*Tête de dragon*

*Boule en bronze*

**UN CAPTEUR DE VIBRATIONS**
Le premier instrument servant à enregistrer les tremblements de terre fut conçu par un savant chinois, Tchang, en l'an 132. Ce sismographe était un récipient en bronze entouré de dragons et de crapauds, avec un gros pendule accroché à l'intérieur. En fonction de la provenance de la secousse sismique, l'un des dragons ouvrait les mâchoires et laissait tomber une boule de bronze dans la gueule d'un crapaud.

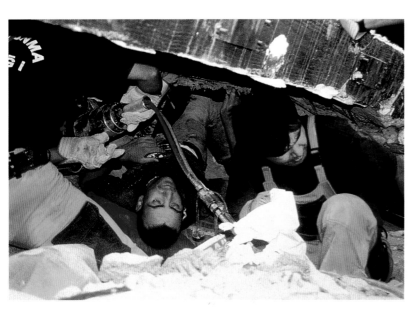

**PRISONNIER**
La meilleure solution pour libérer une personne prisonnière des gravats consiste à l'aider à ramper au milieu des décombres. En essayant de dégager l'éboulis qui l'emprisonne, les secours risquent de provoquer un nouvel effondrement.

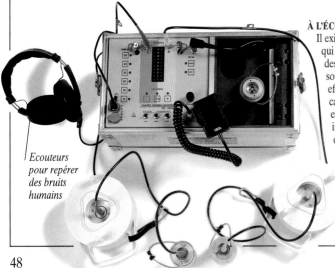

*Ecouteurs pour repérer des bruits humains*

**À L'ÉCOUTE**
Il existe des appareils qui détectent l'origine des vibrations et des bruits sous un immeuble effondré, grâce à des capteurs sismiques et acoustiques. Cet instrument hypersensible est capable de faire la distinction entre des bruits de fond et ceux des mouvements humains, il peut même identifier des battements de cœur.

**POUR SENTIR
LA CHALEUR**
Une caméra thermique utilise les
radiations infrarouges pour détecter
la chaleur corporelle d'une personne
bloquée sous des gravats. Le meilleur
moment pour utiliser cette caméra,
c'est dans la fraîcheur du petit matin,
car il est alors plus facile de faire
la distinction entre la chaleur
d'un corps et celle d'objets.

**TROUSSE DE SURVIE POUR
TREMBLEMENT DE TERRE**
Comme il est difficile de prédire un séisme,
beaucoup de personnes vivant dans
des zones à risques gardent chez elles
ou dans leur voiture un nécessaire
de survie, au cas où elles seraient
prisonnières, sans vivres.

*La Transamerica
Pyramid possède
une structure
flexible pour
résister aux
tremblements
de terre.*

*Ce kit
comprend
une trousse de
premiers soins,
des vivres, de
l'eau potable et une
lampe électrique.*

**DES STRUCTURES RENFORCÉES**
Dans les zones de tremblements de terre, les ponts
et les immeubles sont conçus de manière à limiter
l'impact des secousses sismiques. Ainsi, les
fondations de la Transamerica Pyramid à San
Francisco, aux Etats-Unis, et tous les bâtiments
récents reposent sur un bloc d'acier et de béton
conçu pour accompagner les vibrations du sol,
et la structure flexible du bâtiment lui permet
d'absorber les secousses sismiques.

**PROBLÈMES POUR LES SECOURS**
Les coupures d'électricité, d'eau,
de téléphone, les fuites de gaz
compliquent parfois la tâche
des secouristes. Les dégâts
provoqués par le tremblement
de terre de Kobe au Japon
en 1995 furent aggravés par
la destruction du système
d'approvisionnement en eau,
qui empêcha les pompiers
d'éteindre les incendies.
Par ailleurs, les énormes
embouteillages provoqués
par les gens cherchant
à fuir bloquèrent le passage
des secours.

Ces réfugiés se protègent des cendres qui tombent avec un parapluie.

## LES ÉRUPTIONS VOLCANIQUES

Un volcan en éruption crache de la lave en fusion, de la poussière, des cendres et des gaz brûlants jusqu'à 30 km de hauteur, à travers un cratère ouvert dans la croûte terrestre. Évacuer les populations menacées est la meilleure façon de sauver des vies. Or il est possible de prévoir les éruptions les plus graves car elles sont précédées, pendant des jours ou des mois, d'éruptions moins importantes. Toutefois, il arrive que ces « mini » éruptions se calment ou qu'une grosse éruption se produise sans prévenir. De plus, lorsqu'un volcan tarde à entrer en activité après une évacuation, les gens retournent chez eux alors que le danger n'est pas écarté. Certains volcans entrent régulièrement en éruption, tandis que d'autres se « réveillent » après plusieurs centaines ou milliers d'années d'inactivité. Les scientifiques savent maintenant que ces volcans que l'on dit « endormis » peuvent réserver de mauvaises surprises.

### ÉVACUATION
Grâce aux prévisions, on peut évacuer les gens vivant à proximité d'un volcan avant qu'une éruption survienne. Ces villageois philippins ont attendu jusqu'au dernier moment pour partir, lorsque de gigantesques nuages de cendres se sont formés au-dessus du volcan Pinatubo (300000 sans-abri, en 1991). Ils ont rejoint leurs milliers de compatriotes regroupés dans des centres d'hébergement.

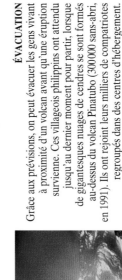

Flot de lave provenant de l'Etna, en Italie, en 1983

Éruption du mont Saint Helens, aux Etats-Unis, en 1980

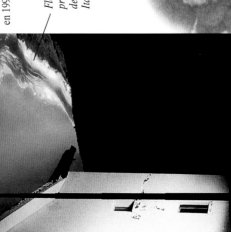

### PRÉVOIR LES ÉRUPTIONS
Des sismographes, ici à l'observatoire du Vésuve, en Italie, servent à prévoir la date et l'ampleur d'une éruption volcanique en mesurant les tremblements de la terre, qui augmentent souvent de manière impressionnante avant une éruption. Par ailleurs, des changements flagrants dans la forme des volcans peuvent apparaître sur des photos par satellite juste avant une éruption, car la montagne enfle sous l'effet du magma qui se trouve en dessous, et la mer se retire.

### LA LAVE DÉTOURNÉE
La lave en fusion, d'une température pouvant atteindre les 1200 °C, brûle, ensevelit et écrase tout sur son passage. Dans certaines zones habitées, des avions bombardent les flots de lave pour tenter de détourner leur cours. Ailleurs, on a construit d'énormes barrages pour protéger les villes des coulées de boue ou de lave consécutives aux éruptions volcaniques. Les torrents de lave sont fréquents dans des endroits comme l'Islande ou Hawaii.

## NUAGE MORTEL
Outre la lave en fusion, un volcan crache un énorme nuage de cendres, de vapeur et de gaz toxiques, le flot pyroclastique. La cendre volcanique recouvre le paysage environnant et peut étouffer les hommes et les animaux. A cause de la vapeur, le nuage est brûlant, tandis que le gaz se compose de dioxydes de carbone et de soufre qui provoquent l'asphyxie des êtres vivants.

## L'OBSERVATION DES VOLCANS
Les vulcanologues surveillent les volcans en activité pour tenter de prévoir les éruptions. Ils mesurent la température de la lave, prélèvent des échantillons de gaz et analysent l'aspect du relief environnant. A proximité de la chaleur intense d'un volcan, ils revêtent une combinaison protectrice.

## MASQUE À GAZ
Outre leur tenue de protection quand ils travaillent près de la lave, les vulcanologues portent des masques qui les protègent des gaz toxiques émanant du volcan, et de la poussière volcanique.

*Filtre*

## LA CROÛTE TERRESTRE SOUS SURVEILLANCE
En surveillant le niveau de la couche terrestre avec du matériel sophistiqué, les vulcanologues détectent d'infimes changements susceptibles d'indiquer une future éruption. Ils mesurent également les fissures dans le sol qui peuvent se refermer ou s'élargir du jour au lendemain.

*Trépied pliant et portable*

# LES CATASTROPHES ÉCOLOGIQUES

Les industries traitant des substances inflammables, toxiques et polluantes, comme le gaz, le pétrole, les produits chimiques ou radioactifs, sont soumises à des règles de sécurité strictes. En effet, un incident avec de telles matières peut avoir des conséquences catastrophiques sur l'environnement. Les êtres vivants, le sol et l'atmosphère peuvent être contaminés et subir des effets néfastes pendant de longues années : la radioactivité provoquée par un accident nucléaire dure plusieurs siècles ! Quand un tel drame se produit, il faut d'abord secourir les blessés et évacuer les personnes en danger. Les secouristes doivent se munir de vêtements de protection spéciaux pour ne pas risquer leur propre vie. Ensuite, la pollution doit être maîtrisée, avant que débute l'opération de nettoyage.

**MARÉE NOIRE**
Quand le pétrolier *Exxon Valdez* fit naufrage au large de l'Alaska en 1989, polluant 2000 km de côtes, 11 000 personnes participèrent aux opérations de nettoyage. Pour enlever les nappes de pétrole, on les entoure de barrages flottants pour empêcher qu'elles s'étendent, et un bateau les aspire ensuite. A terre, le pétrole collant peut être dispersé à l'aide de jets à forte pression.

**CATASTROPHE NUCLÉAIRE**
En 1986, un réacteur de la centrale nucléaire Lénine de Tchernobyl en Ukraine explosa, l'incendie fut maîtrisé, mais les environs et les sauveteurs furent irradiés. Les habitants les plus proches furent évacués et on érigea une épaisse coque de béton autour du réacteur. Dix ans plus tard, les ouvriers qui construisaient la route menant à l'usine devaient encore porter des masques de protection. La centrale a été fermée en décembre 2000.

**FUITES CHIMIQUES**
En 1984, quand une fuite de gaz toxique se produisit à l'usine de piles Union Carbide à Bhopal en Inde, plus de 2000 personnes succombèrent aux émanations. Des bénévoles affluèrent dans les hôpitaux de la région pour soigner les 500000 personnes victimes de brûlures chimiques, de problèmes oculaires et respiratoires.

*Brûlures chimiques*

**OPÉRATION « ÉTEINDRE LE DÉSERT »**
Pour éteindre un feu de pétrole, il faut
d'abord maîtriser les flammes puis fermer
les conduites pour arrêter l'arrivée de
pétrole et de gaz. La moindre étincelle
peut ranimer le brasier. Au cours de la
guerre du Golfe en 1991, les soldats
irakiens mirent le feu à plus de 700 puits
de pétrole en quittant le Koweït. Les
1 200 pompiers spécialisés dans le monde
furent quasiment tous appelés d'urgence
pour combattre les incendies en
bombardant de boue le flot de pétrole et
de gaz, ou bien en « soufflant » les
flammes au moyen d'explosions.

**DU PÉTROLE EN FEU**
Les pompiers spécialisés dans les feux de pétrole
exercent un des métiers les plus dangereux au
monde. L'Américain Red Adair a acquis une
réputation internationale en luttant contre la
plupart des grands feux d'hydrocarbures, comme
l'incendie de la plate-forme Piper Alpha en mer
du Nord qui tua 167 personnes en 1988.

# LES SECOURS AUX ANIMAUX

Les êtres humains ne sont pas les seuls à avoir besoin d'être secourus. Dans le monde entier, des associations se consacrent aux animaux qui, eux aussi, peuvent être victimes de catastrophes naturelles ou écologiques, d'accidents ou de mauvais traitements. Certaines de ces organisations s'occupent des bêtes qui nous entourent quotidiennement, comme les animaux domestiques ou les animaux de ferme. Les groupes écologistes, eux, s'occupent de celles vivant à l'état sauvage ou dans des réserves. Quelques professionnels, comme les gardes forestiers ou les vétérinaires, sont formés pour ce travail, mais beaucoup de protecteurs des animaux sont des bénévoles.

**DES BALEINES ÉCHOUÉES**

Les scientifiques ne parviennent pas à expliquer pourquoi des baleines comme celle-ci s'égarent parfois et s'échouent sur les plages. Souvent, les équipes de secours attendent que la mer remonte pour aider le mammifère à se remettre à l'eau. Mais, dans certains cas, il faut soulever l'animal dans une bâche fixée à une grue, ou même le transporter à bord d'un camion jusqu'à un endroit où l'eau est suffisamment profonde.

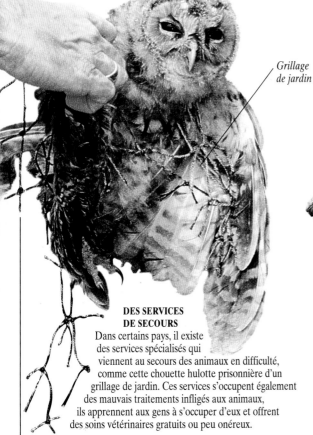

*Grillage de jardin*

**DES SERVICES DE SECOURS**

Dans certains pays, il existe des services spécialisés qui viennent au secours des animaux en difficulté, comme cette chouette hulotte prisonnière d'un grillage de jardin. Ces services s'occupent également des mauvais traitements infligés aux animaux, ils apprennent aux gens à s'occuper d'eux et offrent des soins vétérinaires gratuits ou peu onéreux.

**LA DESTRUCTION DE L'HABITAT NATUREL**

Certains animaux qui ont réussi à échapper à une catastrophe naturelle, comme un incendie ou une inondation, découvrent en revenant après le drame que leur territoire et leurs sources de nourriture ont été détruits. En 1998, de nombreuses tortues des îles Galápagos durent être évacuées par des écologistes quand leur habitat naturel fut détruit par les coulées de lave d'un volcan.

## EN VOIE D'EXTINCTION

Dans le monde entier, le nombre d'animaux sauvages a considérablement diminué, chassés de leur habitat naturel par l'agriculture, le développement urbain et industriel et les conflits armés. Certaines espèces ont totalement disparu, d'autres sont menacées. Pour les sauver, des gardes forestiers surveillent leurs déplacements à l'aide de divers dispositifs, comme ce collier émetteur fixé autour du cou d'un éléphant du Kenya.

*Collier émetteur*

## LE RELOGEMENT

Quand un prédateur, comme un tigre ou un loup, s'aventure à proximité d'une zone habitée, la population a tendance à vouloir tuer l'animal, pour se protéger et défendre ses biens. Il arrive que des écologistes interviennent alors pour capturer l'animal et l'emmener dans un endroit plus isolé, dans l'intérêt de tous.

*Nettoyage des plumes d'un oiseau mazouté*

## DES OISEAUX MAZOUTÉS

Des oiseaux englués par le pétrole d'une marée noire ne peuvent plus voler, ni se réchauffer, ou bien ils meurent empoisonnés en voulant se nettoyer eux-mêmes. C'est pourquoi des équipes de secours lavent leurs plumes avec des produits chimiques adaptés, avant de leur rendre la liberté. D'autres animaux, comme les poissons ou les mammifères marins, subissent les effets de ce type de pollution, qui peut durer de nombreux mois.

55

# PERDU AU MILIEU DE NULLE PART

Être perdu ou blessé en forêt, en montagne, dans un désert ou une région polaire constitue souvent une expérience terrifiante. Les rescapés d'un accident d'avion, les naufragés d'un bateau ou les explorateurs égarés peuvent devenir la proie d'animaux sauvages ou souffrir du manque de nourriture, d'eau, d'abri, ou bien de conditions climatiques extrêmes. S'ils sont dans l'impossibilité d'envoyer un appel par radio, les survivants doivent trouver un moyen d'adresser des signaux de détresse aux avions ou aux bateaux qui passent. Avec un peu de chance, une personne inquiète de ne pas les voir revenir donnera l'alerte. Les opérations de recherches pourront alors débuter dans les lieux les plus invraisemblables.

Avion de reconnaissance
Nimrod de la Royal Air Force

### DES AVIONS DE RECHERCHES ET DE SECOURS
Les avions de reconnaissance militaires sont utilisés pour les opérations civiles de recherches et de secours dans des régions isolées. Ces appareils sondent de vastes étendues terrestres ou maritimes. Le matériel ultrasensible installé à bord détecte les bateaux et les avions de loin, par tous les temps. Ils peuvent larguer des trousses de survie au-dessus des rescapés, puis alerter par radio des hélicoptères ou des bateaux.

### LE SAUVETAGE EN FORÊT
Les personnes égarées dans une forêt dense doivent chercher un espace dégagé, à ciel ouvert, afin d'être repérables d'avion. Pour attirer l'attention, elles peuvent également allumer un feu, abattre des arbres ou allumer les phares d'un véhicule, la nuit. Les rescapés d'un crash aérien ont intérêt à rester près de l'épave, visible de loin.

### UNE EXPOSITION DANGEREUSE
Une personne exposée au vent, à la pluie ou au froid perd plus de chaleur que son corps peut en produire. Les victimes d'hypothermie doivent se mettre à l'abri et s'envelopper dans des couvertures, comme celle-ci, qui capte la chaleur.

Couverture de survie

### UN VÉHICULE DE SECOURS SUR NEIGE
Pour secourir des personnes dans des lieux isolés et enneigés, les services de secours envoient un auxiliaire médical sur une motoneige tractant une luge. Celui-ci installe le blessé dans la luge et le protège avec une couverture imperméable. Pour éviter les cahots sur le terrain accidenté, il conduit lentement jusqu'à l'hôpital le plus proche.

*Le blessé est transporté dans une luge couverte.*

Les survivants
sont regroupés
autour de l'épave
de leur avion.

## SURVIVANTS CONTRE TOUTE ATTENTE

Un avion transportant 40 personnes et 5 membres d'équipage s'écrasa dans la cordillère des Andes, au Chili, en 1972.
Au début, les 16 survivants mangèrent les fruits secs et les sucreries qu'ils avaient avec eux et ils firent de la soupe
avec du lichen. Une fois tous les vivres épuisés, ils furent contraints de manger les corps de leurs compagnons morts
pour rester en vie. Enfin, au bout de soixante et onze jours, ils furent repérés et sauvés par hélicoptères.

LC130 de l'US Air
Force équipé de
skis pour atterrir
sur la neige

## DANS LES RÉGIONS POLAIRES

En 1999, une femme médecin américaine,
Jerri Nielsen, qui travaillait dans une
station de recherche dans l'Antarctique,
présenta des symptômes cancéreux
nécessitant un traitement urgent. Mais les
secours durent attendre que la météo soit
moins hostile pour pouvoir venir la
chercher. Pour éviter que le train
d'atterrissage de l'avion gèle, il fallait
impérativement que la température
remonte au-dessus de - 50 °C. L'avion,
équipé de skis, se posa sur une piste
taillée dans la glace, récupéra Nielsen et
redécolla sans avoir coupé ses moteurs.

# COMMENT SURVIVRE LOIN DE TOUT

Isolés à la suite d'un accident d'avion ou d'une panne de voiture, les survivants doivent trouver des vivres, de l'eau, un abri et de quoi faire du feu. L'importance de ces besoins varie en fonction de l'endroit où ils se trouvent : dans le désert, l'eau est vitale, alors que, dans les régions polaires, il est indispensable de trouver un abri. Les vivres doivent être rationnés, car les survivants ignorent combien de temps ils devront attendre les secours. La priorité suivante consiste à donner l'alerte. Les rescapés d'un accident d'avion doivent rester près de la carcasse de l'appareil, facilement repérable du ciel. Ils peuvent également faire des signaux qui n'apparaîtraient pas naturellement pour indiquer leur présence, en allumant un feu ou en traçant de grands dessins au sol.

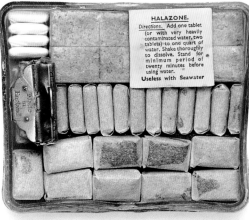

**RATION DE SURVIE**
Durant la Seconde Guerre mondiale, chaque soldat britannique avait ce petit paquet de nourriture. Les sucreries hautement énergétiques et vitaminées et les comprimés pour purifier l'eau permettaient au soldat de survivre en cas d'urgence, jusqu'à ce qu'il trouve une autre source d'approvisionnement.

*Boussole*

*Héliographe pour faire des signaux*

**UNE VESTE MILITAIRE**
De nombreux pilotes de l'armée portent des gilets spéciaux afin de survivre dans un environnement hostile, en cas d'accident. Dans les poches de ce gilet se trouve tout ce qui est nécessaire : des outils, des armes, du matériel de premiers soins, une couverture isolante et des fusées éclairantes.

*Couverture*

*Couteau avec une pierre à affûter*

**UNE BOUSSOLE**
Muni d'une boussole et d'une carte, un rescapé peut calculer l'endroit où il se trouve et se diriger vers le lieu habité le plus proche. Même s'il n'a pas de carte, la boussole lui permet d'avancer toujours dans la même direction, sans risquer de tourner en rond.

*Héliographe*

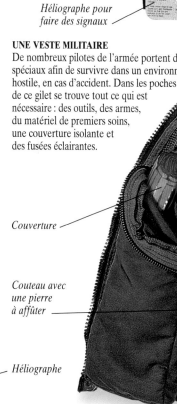

**FAIRE DES SIGNAUX**
Quand ils aperçoivent un avion ou un bateau, les survivants peuvent utiliser un morceau de métal poli ou un objet appelé héliographe pour créer des éclats lumineux attirant l'attention. Ainsi, ils peuvent envoyer un message de détresse en morse, comme par exemple SOS, connu dans le monde entier.

*Etui de revolver*

**L'ÉQUIPEMENT DE SURVIE**
Avoir un couteau est essentiel à la survie, pour construire un abri, tuer des animaux pour se nourrir et tailler un chemin à travers la végétation. Les soldats et les aventuriers qui vont dans des endroits isolés ont toujours un kit de survie comprenant un couteau, des allumettes, une lampe électrique, des fusées éclairantes et un sac de couchage.

*Couteau de survie utilisé par les soldats britanniques*

**LE FEU**
Allumer un feu est une des premières tâches que doivent effectuer des rescapés. Il leur procurera chaleur et lumière, mais il servira également à chasser les animaux et à envoyer un signal aux secouristes. Pour faire un feu, il faut d'abord trouver du bois sec et prendre soin de dégager la végétation qui risque de s'enflammer. S'il y a beaucoup de vent, il est préférable d'allumer le feu dans une tranchée.

Fabrication d'un abri avec des branches

**UN ABRI TEMPORAIRE**
Une longue exposition au vent, à la pluie, au soleil ou au froid peut être fatale, il est donc urgent de bâtir un abri. Une grotte ou une crevasse fournissent une protection immédiate, mais s'il y a de la végétation ou des débris créés par l'homme, il est assez simple de construire un refuge. Dans la neige, un trou creusé dos au vent fournira une protection contre les éléments.

*Garrot*

*Etui de signal lumineux*

F *Ai besoin d'eau et de nourriture*

I *Blessé grave / Besoin d'un médecin*

*Batterie*

*Signal lumineux de secours fonctionnant sur batterie*

**LAISSER DES TRACES**
S'ils sont obligés d'abandonner le lieu de l'accident, les survivants doivent indiquer aux secours potentiels la direction qu'ils prennent. De plus, des signes connus dans le monde entier (ci-dessus), confectionnés avec des branches ou des pierres, ou en raclant la terre, peuvent être vus d'avion s'ils sont assez grands.

*Civière improvisée*

*Rubans pour jalonner le sol*

*Rasoir*

*Couteau multifonctions*

*Bloc de magnésium avec des étincelles incorporées pour allumer des feux*

**LES PREMIERS SOINS**
Quand des personnes se retrouvent dans un lieu isolé après un accident, il est important de donner les premiers soins aux malades et aux blessés. Pour transporter un blessé, on peut confectionner une civière rudimentaire avec deux vestes et deux bâtons.

# LES SAUVETAGES DANS L'ESPACE

Quand un problème survient dans l'espace, il n'y a évidemment pas d'équipes de secours à proximité pour porter assistance aux spationautes. L'équipage doit régler le problème seul ou en suivant les instructions données par le centre de contrôle sur Terre. Les astronautes ne peuvent pas abandonner le véhicule spatial ou la station orbitale car ils ne survivraient pas longtemps dans l'espace. Néanmoins, les navettes sont maintenant équipées de trappes de secours qui permettent à l'équipage de s'éjecter, avec un parachute, dans certains cas. La seule solution est de ramener le véhicule endommagé sur Terre ou de le diriger vers un véhicule de secours. Chaque incident ou problème résolu dans l'espace est riche d'enseignements pour les techniciens.

*Satellite Westar VI*

## L'ÉQUIPE DE SECOURS DE LA NASA

Quand un engin spatial doit se poser en catastrophe, une équipe spécialisée se tient prête. La situation est particulièrement critique quand il doit atterrir et non amerrir. Vêtus de combinaisons spéciales et portant des masques contre les gaz toxiques, les sauveteurs ont pour mission délicate de pénétrer dans l'engin pour secourir les spationautes.

*Un sauveteur examine un astronaute au cours d'un entraînement.*

*Panneaux solaires fournissant de l'énergie*

*Engin Soyouz pour transporter un équipage*

*Point d'amarrage pour un nouveau vaisseau*

*Habitacle de l'équipage*

Maquette de la station russe Mir

## TOUT PRÈS DU DRAME

En 1997, un engin de ravitaillement percuta le flanc de la station spatiale Mir, endommageant la source d'alimentation et provoquant une fuite d'oxygène. L'équipage tenta alors de larguer le Soyouz, sorte de « canot de sauvetage », mais, privé de source d'énergie, le système de largage ne put fonctionner. Au tout dernier moment, le soleil éclaira un des panneaux solaires intacts et fournit de l'énergie, permettant à l'équipage de se mettre au travail pour colmater la fuite d'oxygène et réparer la station.

**HORS DE L'ENGIN SPATIAL**
Quand un satellite placé en orbite doit être réparé, les astronautes sont obligés de quitter la relative sécurité de leur engin spatial pour travailler dans l'espace. Pour ce faire, ils portent des combinaisons spéciales appelées MMU (Manned Manoevring Unit – unité pilotée par l'homme). Installés dans ce « fauteuil volant », les astronautes se déplacent librement, mais sans être retenus par un câble qui les ramènerait à l'intérieur de l'appareil. En cas de problème, ils s'en remettent à leurs équipiers. Ici, on voit l'astronaute américain Dale Gardner en train d'effectuer la première réparation sur un satellite, en 1984.

## « *Houston, nous avons un problème.* »

L'ÉQUIPAGE D'APOLLO 13 AU CENTRE
DE CONTRÔLE, LE 13 AVRIL 1970

**LA MISSION APOLLO 13**
En avril 1970, la fusée Apollo 13 filait vers la Lune lorsque, à 320000 km de la Terre, un réservoir d'oxygène explosa. Le niveau d'oxygène et d'énergie décrût rapidement. Le seul moyen de sauver l'équipage était d'utiliser le module lunaire comme une sorte de canot de sauvetage pour regagner la Terre.

*Apollo 13 décolle de la rampe de lancement.*

*Astronaute portant une MMU*

*Appareil sans équipage servant à apporter des fournitures vitales*

*Retour sur Terre de la capsule d'Apollo 13*

**PROBLÈMES À BORD**
Le module lunaire d'Apollo 13 avait suffisamment d'oxygène et de carburant pour rejoindre la Terre, mais il fut rapidement envahi par l'oxyde de carbone que recrachaient les membres de l'équipage. En utilisant les objets qui se trouvaient à bord, comme des sacs en plastique, des cartons et du ruban adhésif, le centre de contrôle conçut un appareil pour purifier l'air. En suivant ses instructions, l'équipage fabriqua le même appareil à bord.

**ENFIN DE RETOUR**
Les astronautes se blottirent les uns contre les autres à l'intérieur du module lunaire, où la température était descendue à 3 °C ; les parois étaient couvertes de condensation et les vitres avaient gelé. A l'approche de la Terre, ils enfilèrent leurs combinaisons et rampèrent dans la capsule de commande. Ensuite, ils larguèrent le module lunaire et amerrirent sans danger dans l'océan Pacifique, au grand soulagement de tous.

## DANS LE FUTUR

Les scientifiques travaillent constamment sur de nouvelles technologies qui peuvent faire la différence entre la vie et la mort en cas d'urgence. Le matériel utilisé par les équipes de secours est de plus en plus sophistiqué, en même temps qu'il devient plus petit, plus léger, plus maniable. Les secouristes, mieux équipés, sont plus efficaces et des véhicules spécialisés peuvent les conduire très vite sur les lieux du drame, même dans des endroits isolés. La médecine également fait d'énormes progrès dans le domaine des interventions d'urgence, par ailleurs, les systèmes de sécurité des véhicules ou des machines sont de plus en plus efficaces. Mais malgré toutes ces avancées technologiques, l'élément le plus important dans une opération de secours reste le courage des hommes qui mettent leur vie en péril pour sauver d'autres hommes.

### UN CANON À EAU
Ce canon anti-incendie propulse un jet de minuscules gouttelettes à plus de 400 km/h. Il crée ainsi une large surface refroidissante capable d'éteindre des feux étendus, y compris d'origine électrique. Ce canon très maniable peut être emporté dans le sac à dos d'un pompier jusqu'au cœur du brasier.

*Matériel pour tester la chaussure*

Chaussure à semelle renforcée

### AVANCER À PETITS PAS
Ces chaussures particulières ont été spécialement conçues pour protéger les pieds et les jambes des hommes chargés de déblayer les mines qui n'ont pas explosé. Les semelles, remplies de minuscules cailloux enveloppés d'une couche de résine et séparés les uns des autres par des poches d'air, résistent à une explosion. Elles en absorbent l'impact, au lieu d'essayer de le repousser. En outre, une coque entourant le pied offre une protection contre les éclats de mine.

### UNE COMBINAISON DE SURVIE
En cas d'urgence, la personne vêtue de ce prototype de combinaison arctique peut l'utiliser pour envoyer un message de détresse. En cas de perte de connaissance, la combinaison envoie automatiquement un appel de détresse et contrôle en permanence le rythme cardiaque et la température de celui qui la porte ; elle enregistre les conditions atmosphériques et possède un appareil d'orientation incorporé qui indique avec exactitude sa position.

*Un volontaire teste l'interface de la combinaison.*

La combinaison peut aider à la survie dans des conditions polaires.